Jeremias Gotthelf

Die schwarze Spinne

Erzählung

Anmerkungen
von Wolfgang Mieder

Philipp Reclam jun. Stuttgart

Der Text folgt der Ausgabe: Jeremias Gotthelf: Sämtliche Werke in vierundzwanzig Bänden. Herausgegeben von Rudolf Hunziker und Hans Bloesch. Siebzehnter Band. Zweite, überarbeitete Auflage. Erlenbach bei Zürich: Eugen Rentsch, 1936. – Orthographie und Interpunktion wurden behutsam dem heutigen Gebrauch angeglichen.

Erläuterungen und Dokumente zu Gotthelfs *Die schwarze Spinne* liegen unter Nr. 8161 in Reclams Universal-Bibliothek vor.

Universal-Bibliothek Nr. 6489
Alle Rechte vorbehalten
© 1969, 1994 Philipp Reclam jun. GmbH & Co., Stuttgart
Um Anmerkungen ergänzte Ausgabe 1994
Umschlagabbildung: Illustration zu Seite 79,
Zeile 6–8, von Paul Robert, um 1896
Gesamtherstellung: Reclam, Ditzingen. Printed in Germany 1995
RECLAM und UNIVERSAL-BIBLIOTHEK sind eingetragene
Warenzeichen der Philipp Reclam jun. GmbH & Co., Stuttgart
ISBN 3-15-006489-9

Über die Berge hob sich die Sonne, leuchtete in klarer Majestät in ein freundliches, aber enges Tal und weckte zu fröhlichem Leben die Geschöpfe, die geschaffen sind, an der Sonne ihres Lebens sich zu freuen. Aus vergoldetem Waldessaume schmetterte die Amsel ihr Morgenlied, zwischen funkelnden Blumen in perlendem Grase tönte der sehnsüchtigen Wachtel eintönend Minnelied, über dunkeln Tannen tanzten brünstige Krähen ihren Hochzeitreigen oder krächzten zärtliche Wiegenlieder über die dornichten Bettchen ihrer ungefiederten Jungen.

In der Mitte der sonnenreichen Halde hatte die Natur einen fruchtbaren, beschirmten Boden eingegraben; mittendrin stand stattlich und blank ein schönes Haus, eingefaßt von einem prächtigen Baumgarten, in welchem noch einige Hochäpfelbäume prangten in ihrem späten Blumenkleide; halb stund das vom Hausbrunnen bewässerte üppige Gras noch, halb war es bereits dem Futtergange zugewandert. Um das Haus lag ein sonntäglicher Glanz, den man mit einigen Besenstrichen, angebracht Samstag abends zwischen Tag und Nacht, nicht zu erzeugen vermag, der ein Zeugnis ist des köstlichen Erbgutes angestammter Reinlichkeit, die alle Tage gepflegt werden muß, der Familienehre gleich, welcher eine einzige unbewachte Stunde Flecken bringen kann, die Blutflecken gleich unauslöschlich bleiben von Geschlecht zu Geschlecht, jeder Tünche spottend.

Nicht umsonst glänzte die durch Gottes Hand erbaute Erde und das von Menschenhänden erbaute Haus im reinsten Schmucke; über beide erglänzte heute ein Stern am blauen Himmel, ein hoher Feiertag. Es war der Tag, an welchem der Sohn wieder zum Vater gegangen war zum Zeugnis, daß die Leiter noch am Himmel stehe, auf welcher Engel auf- und niedersteigen und die Seele des Menschen, wenn sie dem Leibe sich entwindet, und ihr Heil und Augenmerk beim Vater droben war und nicht hier auf Erden; es war der Tag, an welchem die ganze Pflanzenwelt dem Himmel entgegenwächst und blüht in voller Üppigkeit, dem Menschen ein alle Jahre neu werdendes Sinnbild seiner eigenen Bestimmung. Wunderbar klang es über die Hügel her, man wußte nicht, woher das Klingen kam, es tönte wie von allen Seiten; es kam von den Kirchen her draußen in den weiten Tälern; von dorther kündeten die Glocken, daß die Tempel Gottes sich öffnen allen, deren Herzen offen seien der Stimme ihres Gottes.

Ein reges Leben bewegte sich um das schöne Haus. In des Brunnens Nähe wurden mit besonderer Sorgfalt Pferde gestriegelt, stattliche Mütter, umgaukelt von lustigen Füllen; im breiten Brunnentroge stillten behaglich blickende Kühe ihren Durst, und zweimal mußte der Bube Besen und Schaufel nehmen, weil er die Spuren ihrer Behaglichkeit nicht sauber genug weggeräumt. Herzhaft wuschen am Brunnen mit einem handlichen Zwilchfetzen stämmige Mägde ihre rotbrächten Gesichter, die Haare in zwei Knäuel über den Ohren zusammengedreht, trugen mit eilfertiger Emsigkeit Wasser durch die geöffnete Türe, und in mächtigen Stößen hob sich gerade und hoch in die blaue Luft empor aus kurzem Schornsteine die dunkle Rauchsäule.

Langsam und gebeugt ging an einem Hakenstock der Großvater um das Haus, sah schweigend dem Treiben der Knechte und Mägde zu, streichelte hier ein Pferd, wehrte dort einer Kuh ihren schwerfälligen Mutwillen, zeigte mit dem Stecken dem unachtsamen Buben noch hier und dort vergessene Strohhalme und nahm dazu fleißig aus der langen Weste tiefer Tasche das Feuerzeug, um seine Pfeife, an der er des Morgens trotz ihres schweren Atems so wohllebte, wieder anzuzünden.

Auf rein gefegter Bank vor dem Hause neben der Türe saß die Großmutter, schönes Brot schneidend in eine mächtige Kachel, dünn und in eben rechter Größe jeden Bissen, nicht so unachtsam wie Köchinnen oder Stubenmägde, die manchmal Stücke machen, an denen ein Walfisch ersticken müßte. Wohlgenährte, stolze Hühner und schöne Tauben stritten sich um die Brosamen zu ihren Füßen, und wenn ein schüchternes Täubchen zu kurz kam, so warf ihm die Großmutter ein Stücklein eigens zu, es tröstend mit freundlichen Worten über den Unverstand und den Ungestüm der andern.

Drinnen in der weiten, reinen Küche knisterte ein mächtiges Feuer von Tannenholz, in weiter Pfanne knallten Kaffeebohnen, die eine stattliche Frau mit hölzerner Kelle durcheinanderrührte, nebenbei knarrte die Kaffeemühle zwischen den Knien einer frischgewaschenen Magd; unter der offenen Stubentüre aber stund, den offenen Kaffeesack noch in der Hand, eine schöne, etwas blasse Frau und sagte: »Du, Hebamme, röste mir den Kaffee heute nicht so schwarz, sie könnten sonst meinen, ich hätte das Pulver sparen mögen. Des Göttis (Paten) Frau ist gar grausam mißtreu und legt einem alles zuungunsten aus. Es kömmt heute auf ein halb Pfund mehr oder weniger nicht an. Vergiß auch ja nicht, das Weinwarm zu rechter Zeit bereitzuhalten! Der Großvater würde meinen, es wäre nicht Kindstaufe, wenn man den Gevatterleuten nicht ein Weinwarm aufstellen würde, ehe sie zur Kirche gehen. Spare nichts daran, hörst du! Dort in der Schüssel auf der Kachelbank ist Safran und Zimmet, der Zucker ist hier auf dem Tische, und nimm Wein, daß es dich dünkt, es sei wenigstens halb zuviel; an einer Kindstaufe braucht man nie Kummer zu haben, daß sich die Sache nicht brauche.«

Man hört, es soll heute die Kindstaufe gehalten werden im Hause, und die Hebamme versieht das Amt der Köchin ebenso geschickt als früher das Amt der Wehmutter; aber sputen muß sie sich, wenn sie zu rechter Zeit fertig werden und am einfachen Herde alles kochen soll, was die Sitte fordert.

Aus dem Keller kam mit einem mächtigen Stück Käse in der Hand ein stämmiger Mann, nahm vom blanken Kachelbank den ersten besten Teller, legte den Käse darauf und wollte ihn in die Stube auf den Tisch tragen von braunem Nußbaumholz. »Aber Benz, aber Benz«, rief die schöne, blasse Frau, »wie würden sie lachen, wenn wir keinen bessern Teller

hätten an der Kindstaufe!« Und zum glänzenden
Schrank aus Kirschbaumholz, Buffert genannt, ging
sie, wo hinter Glasfenstern des Hauses Zierden
prangten. Dort nahm sie einen schönen Teller, blau
5 gerändert, in der Mitte einen großen Blumenstrauß,
der umgeben war von sinnigen Sprüchen, zum Bei-
spiel:

O Mensch, faß in Gedanken:
Drei Batzen gilt dsPfund Anken.

10 Gott gibt dem Menschen Gnad,
Ich aber wohn im Maad.

In der Hölle, da ist es heiß,
Und der Hafner schafft mit Fleiß.

Die Kuh, die frißt das Gras;
15 Der Mensch, der muß ins Grab.

Neben den Käse stellte sie die mächtige Züpfe,
das eigentümliche Berner Backwerk, geflochten wie
die Zöpfe der Weiber, schön braun und gelb, aus
dem feinsten Mehl, Eiern und Butter gebacken, groß
20 wie ein Jähriges und fast ebenso schwer; und oben
und unten pflanzte sie noch zwei Teller. Hochauf-
getürmt lagen auf denselben die appetitlichen Küch-
lein, Habküchlein auf dem einen, Eierküchlein auf
dem andern. Heiße, dicke Nidel stund in schön ge-
25 blümten Hafen zugedeckt auf dem Ofen, und in der
dreibeinigen, glänzenden Kanne mit gelbem Deckel
kochte der Kaffee. So harrte auf die erwarteten
Gevatterleute ein Frühstück, wie es Fürsten selten
haben und keine Bauren auf der Welt als die Ber-
30 ner. Tausende von Engländern rennen durch die

7

Schweiz, aber weder einem der abgejagten Lords noch einer der steifbeinichten Ladies ist je ein solches Frühstück geworden.

»Wenn sie nur bald kämen, es wäre alles bereit!« seufzte die Hebamme. »Es geht jedenfalls eine gute Zeit, bis alles fertig ist und ein jedes seine Sache gehabt hat, und der Pfarrer ist grausam pünktlich und gibt scharfe Verweise, wenn man nicht da ist zu rechter Zeit.« »Der Großvater erlaubt auch nie, das Wägeli zu nehmen«, sagte die junge Frau. »Er hat den Glauben, daß ein Kind, welches man nicht zur Taufe trage, sondern führe, träge werde und sein Lebtag seine Beine nie recht brauchen lerne. Wenn nur die Gotte (Patin) da wäre, die versäumt am längsten, die Göttene machen es kürzer und könnten immerhin nachlaufen.« Die Angst nach den Gevatterleuten verbreitete sich durchs ganze Haus. »Kommen sie noch nicht?« hörte man allenthalben; in allen Ecken des Hauses schauten Gesichter nach ihnen aus, und der Türk bellte aus Leibeskräften, als ob er sie herberufen wollte. Die Großmutter aber sagte: »Ehemals ist das doch nicht so gewesen, da wußte man, daß man an solchen Tagen zu rechter Zeit aufzustehen habe und der Herr niemanden warte.« Endlich stürzte der Bub in die Küche mit der Nachricht, die Gotte komme.

Sie kam, schweißbedeckt und beladen wie das Neujahrkindlein. In der einen Hand hatte sie die schwarzen Schnüre eines großen, blumenreichen Wartsäckleins, in welchem, in ein fein, weißes Handtuch gewickelt, eine große Züpfe stach, ein Geschenk für die Kindbetterin. In der andern Hand trug sie

ein zweites Säcklein, und in demselben war eine
Kleidung für das Kind nebst etwelchen Stücken
zu eigenem Gebrauch, namentlich schöne weiße
Strümpfe; und unter dem einen Arme hatte sie noch
5 eine Drucke mit dem Kränzchen und der Spitzenkappe mit den prächtigen, schwarzseidenen Haar-
schnüren. Freudig tönten ihr die Gottwillchen (in
Gott willkommen) entgegen von allen Seiten, und
kaum hatte sie Zeit, von ihren Bürden eine abzu-
10 stellen, um den entgegengestreckten Händen freundlich zu begegnen. Von allen Seiten streckten sich
dienstbare Hände nach ihren Lasten, und unter der
Türe stand die junge Frau, und da ging ein neues
Grüßen an, bis die Hebamme in die Stube mahnte:
15 sie könnten ja drinnen einander sagen, was der
Brauch sei.

Und mit handlichen Manieren setzte die Hebamme die Gotte hinter den Tisch, und die junge
Frau kam mit dem Kaffee, wie sehr auch die Gotte
20 sich weigerte und vorgab, sie hätte schon gehabt.
Des Vaters Schwester täte es nicht, daß sie unge-
gessen aus dem Hause ginge, das schade jungen
Mädchen gar übel, sage sie. Aber sie sei schon alt,
und die Jungfrauen (Mägde) möchten auch nicht
25 zu rechter Zeit auf, deswegen sei sie so spät; wenn
es an ihr allein gelegen hätte, sie wäre längstens da.
In den Kaffee wurde die dicke Nidel gegossen, und
wie sehr die Gotte sich wehrte und sagte, sie liebe
es gar nicht, warf ihr doch die Frau ein Stück Zucker
30 in denselben. Lange wollte es die Gotte nicht zu-
lassen, daß ihretwegen die Züpfe angehauen würde,
indessen mußte sie sich ein tüchtiges Stück vorlegen

9

lassen und essen. Käse wollte sie lange nicht, es hätte dessen gar nicht nötig, sagte sie. Sie werde meinen, es sei nur halbmagern, und deshalb schätze sie ihn nicht, sagte die Frau, und die Gotte mußte sich ergeben. Aber Küchli wollte sie durchaus nicht, die wüßte sie gar nicht wohin tun, sagte sie. Sie glaube nur, sie seien nicht sauber, und werde an bessere gewöhnt sein, erhielt sie endlich zur Antwort. Was sollte sie anders machen als Küchli essen? Während dem Nöten aller Art hatte sie abgemessen in kleinen Schlücken das erste Kacheli ausgetrunken, und nun erhob sich ein eigentlicher Streit. Die Gotte kehrte das Kacheli um, wollte gar keinen Platz mehr haben für fernere Guttaten und sagte: man solle sie doch in Ruhe lassen, sonst müßte sie sich noch verschwören. Da sagte die Frau, es sei ihr doch so leid, daß sie ihn so schlecht finde, sie hätte doch der Hebamme dringlichst befohlen, ihn so gut als möglich zu machen, sie vermöchte sich dessen wahrhaftig nichts, daß er so schlecht sei, daß ihn niemand trinken möge, und an der Nidle sollte es doch auch nicht fehlen, sie hätte dieselbe abgenommen, wie sie es sonst nicht alle Tage im Brauch hätte. Was sollte die arme Gotte anders machen als noch ein Kacheli sich einschenken lassen?

Ungeduldig war schon lange die Hebamme herumgetrippelt, und endlich bändigte sie das Wort nicht länger, sondern sagte: »Wenn ich dir etwas helfen kann, so sage es nur, ich habe wohl Zeit dazu!« »He, pressiere doch nicht!« sagte die Frau. Die arme Gotte aber, die rauchte wie ein Dampfkessel, verstand den Wink, versorgete den heißen

Kaffee so schnell als möglich und sagte zwischen den Absätzen, zu denen der glühende Trank sie zwang: »Ich wäre schon lange zweg, wenn ich nicht mehr hätte nehmen müssen, als ich hinunterbringen kann, aber ich komme jetzt.«

Sie stund auf, packte die Säcklein aus, übergab Züpfe, Kleidung, Einbund – ein blanker Neutaler, eingewickelt in den schön gemalten Taufspruch – und machte manche Entschuldigung, daß alles nicht besser sei. Darein aber redete die Hausmutter mit manchem Ausruf, wie das keine Art und Gattung hätte, sich so zu verköstigen, wie man es fast nicht nehmen dürfte; und wenn man das gewußt hätte, so hätte man sie gar nicht ansprechen dürfen.

Nun ging auch das Mädchen an sein Werk, verbeiständet von der Hebamme und der Hausfrau, und wendete das möglichste an, eine schöne Gotte zu sein von Schuh und Strümpfen an bis hinauf zum Kränzchen auf der kostbaren Spitzenkappe. Die Sache ging umständlich zu trotz der Ungeduld der Hebamme, und immer war der Gotte die Sache nicht gut genug und bald dies, bald das nicht am rechten Ort. Da kam die Großmutter herein und sagte: »Ich muß doch auch kommen und sehen, wie schön unsere Gotte sei.« Nebenbei ließ sie fallen, daß es schon das zweite Zeichen geläutet habe und beide Götteni draußen in der äußern Stube seien.

Draußen saßen allerdings die zwei männlichen Paten, ein alter und ein junger, den neumodischen Kaffee, den sie alle Tage haben konnten, verschmähend, hinter dem dampfenden Weinwarm, dieser altertümlichen, aber guten Bernersuppe, bestehend

11

aus Wein, geröstetem Brot, Eiern, Zucker, Zimmet und Safran, diesem ebenso altertümlichen Gewürze, das an einem Kindstaufeschmaus in der Suppe, im Voressen, im süßen Tee vorkommen muß. Sie ließen es sich wohlschmecken, und der alte Götti, den man Vetter nannte, hatte allerlei Späße mit dem Kindbettimann und sagte ihm, daß sie ihm heute nicht schonen wollten, und dem Weinwarm an gönne er es ihnen, daran sei nichts gespart, man merke, daß er seinen zwölfmäßigen Sack letzten Dienstag dem Boten mit nach Bern gegeben, um ihm Safran zu bringen. Als sie nicht wußten, was der Vetter damit meine, sagte er: letzthin habe sein Nachbar Kindbetti haben müssen; da habe er dem Boten einen großen Sack mitgegeben und sechs Kreuzer mit dem Auftrage, er solle ihm doch in diesem Sacke für sechs Kreuzer von dem gelben Pulver bringen, ein Mäß oder anderthalbes, von dem man an den Kindstaufen in allem haben müsse, seine Weiber wollten es einmal so haben.

Da kam die Gotte hinein wie eine junge Morgensonne und wurde von den Mitgevattern Gottwillchen geheißen und zum Tisch gezogen und ein großer Teller voll Weinwarm vor sie gestellt, und den sollte sie essen, sie hätte wohl noch Zeit, während man das Kind zurechtmache. Das arme Kind wehrte sich mit Händen und Füßen, behauptete, es hätte gegessen für manchen Tag, es könne nicht mehr schnaufen. Aber da half alles nichts. Alt und jung war mit Spott und Ernst hinter ihm, bis es zum Löffel griff, und seltsam, ein Löffel nach dem andern fand noch sein Plätzchen. Doch da kam schon wieder die Hebamme mit dem schön eingewickelten Kinde, zog ihm das gestickte Käppchen an mit dem rosenroten Seidenbande, legte dasselbe in das schöne Dachbettlein, steckte ihm das süße Lulli ins Mäulchen und sagte: sie begehre niemand zu versäumen und hätte gedacht, sie wolle alles zurechtmachen, man könne dann immer gehen, wann man wolle. Man umstand das Kind und rühmte es wie billig, und es war auch ein wunderappetitlich Bübchen. Die Mutter freute sich des Lobes und sagte: »Ich wäre auch so gerne mit zur Kirche gekommen und hätte es Gott empfehlen helfen; und wenn man selbst dabei ist, wenn das Kind getauft wird, so sinnet man um so besser daran, was man versprochen hat. Zudem ist es mir so unbequem, wenn ich noch eine ganze Woche lang nicht vor das Dachtraufe darf, jetzt, wo man alle Hände voll zu tun hat mit dem Anpflanzen.« Aber die Großmutter sagte, so weit sei es doch noch nicht, daß ihre Sohnsfrau wie eine arme Frau in den ersten acht Tagen ihren Kirchgang tun müsse, und die Hebamme setzte hinzu, sie hätte es gar nicht gerne, wenn junge Weiber mit den Kindern zur Kirche gingen. Sie hätten immer Angst, es gehe daheim etwas Krummes, hätten doch nicht die rechte Andacht in der Kirche, und auf dem Heimweg pressierten sie zu stark, damit ja nichts versäumt werde, erhitzten sich, und gar manche sei übel krank geworden und gar gestorben.

Da nahm die Gotte das Kind im Dachbette auf die Arme, die Hebamme legte das schöne, weiße Tauftuch mit den schwarzen Quasten in den Ecken über das Kind, sorgfältig den schönen Blumenstrauß an der Gotte Brust schonend, und sagte: »So geht jetzt in Gottes heiligen Namen!« Und die Großmutter legte die Hände ineinander und betete still einen inbrünstigen Segen. Die Mutter aber ging mit dem Zuge hinaus bis unter die Türe und sagte: »Mein Bübli, mein Bübli, jetzt sehe ich dich drei ganze Stunden nicht, wie halte ich das aus!« Und alsobald schoß es ihr in die Augen, rasch fuhr sie mit dem Fürtuch darüber und ging ins Haus.

Rasch schritt die Gotte die Halde ab den Kirchweg entlang, auf ihren starken Armen das muntere Kind, hintendrein die zwei Götteni, Vater und Großvater, deren keinem in Sinn kam, die Gotte ihrer Last zu entledigen, obgleich der jüngere Götti in einem stattlichen Maien auf dem Hute das Zeichen der Ledigkeit trug und in seinem Auge etwas wie großes Wohlgefallen an der Gotte, freilich alles hinter der Blende großer Gelassenheit verborgen.

Der Großvater berichtete, welch schrecklich Wetter es gewesen sei, als man ihn zur Kirche getragen, vor Hagel und Blitz hätten die Kirchgänger kaum geglaubt, mit dem Leben davonzukommen. Hintenher hätten die Leute ihm allerlei geweissaget dieses Wetters wegen, die einen einen schrecklichen Tod, die anderen großes Glück im Kriege; nun sei es ihm gegangen in aller Stille wie den andern auch, und im fünfundsiebenzigsten Jahre werde er weder frühe sterben noch großes Glück im Kriege machen.

Mehr als halben Weges waren sie gegangen, als ihnen die Jungfrau nachgesprungen kam, welche das Kind nach Hause zu tragen hatte, sobald es ge-

tauft war, während Eltern und Gevatterleute nach
alter schöner Sitte noch der Predigt beiwohnten.
Die Jungfrau hatte auch anwenden wollen nach
Kräften, um auch schön zu sein. Ob dieser handlichen Arbeit hatte sie sich verspätet und wollte
jetzt der Gotte das Kind abnehmen; aber diese ließ
es nicht, wie man ihr auch zuredete. Das war eine
gar zu gute Gelegenheit, dem schönen ledigen Götti
zu zeigen, wie stark ihre Arme seien und wieviel sie
erleiden möchten. Starke Arme an einer Frau sind
einem rechten Bauer viel anständiger als zarte, als
so liederliche Stäbchen, die jeder Bysluft, wenn er
ernstlich will, auseinanderwehen kann; starke Arme
an einer Mutter sind schon vielen Kindern zum Heil
gewesen, wenn der Vater starb und die Mutter die
Rute allein führen, alleine den Haushaltungswagen
aus allen Löchern heben mußte, in die er geraten
wollte.

Aber auf einmal ist's, als ob jemand die starke
Gotte an den Züpfen halte oder sie vor den Kopf
schlage, sie prallt ordentlich zurück, gibt der Jungfrau das Kind, bleibt dann zurück und stellt sich,
als ob sie mit dem Strumpfband zu tun hätte. Dann
kömmt sie nach, gesellt sich den Männern bei, mischt
sich in die Gespräche, will den Großvater unter-
brechen, ihn bald mit diesem, bald mit jenem ab-
lenken von dem Gegenstand, den er gefaßt hat. Der
aber hält, wie alte Leute meist gewohnt sind, seinen
Gegenstand fest und knüpft unverdrossen den ab-
gerissenen Faden immer neu wieder an. Nun macht
sie sich an des Kindes Vater und versucht diesen
durch allerlei Fragen zu Privatgesprächen zu ver-

führen; allein der ist einsilbig und läßt den angesponnenen Faden immer wieder fallen. Vielleicht hat er seine eigenen Gedanken, wie jeder Vater sie haben sollte, wenn man ihm ein Kind zur Taufe trägt und namentlich das erste Bübchen. Je näher man der Kirche kam, desto mehr Leute schlossen dem Zuge sich an, die einen warteten schon mit den Psalmenbüchern in der Hand am Wege, andere sprangen eiliger die engen Fußwege hinunter, und einer großen Prozession ähnlich rückten sie ins Dorf.

Zunächst der Kirche stand das Wirtshaus, die so oft in naher Beziehung stehen und Freud und Leid miteinander teilen und zwar in allen Ehren. Dort stellte man ab, machte das Bübchen trocken, und der Kindbettimann bestellte eine Maß, wie sehr auch alle einredeten, er solle doch das nicht machen, sie hätten ja erst gehabt, was das Herz verlangt, und möchten weder Dickes noch Dünnes. Indessen, als der Wein einmal da war, tranken doch alle, vornehmlich die Jungfrau; die wird gedacht haben, sie müsse Wein trinken, wenn jemand ihr Wein geben wolle, und das geschehe durch ein langes Jahr durch nicht manchmal. Nur die Gotte war zu keinem Tropfen zu bewegen trotz allem Zureden, das kein Ende nehmen wollte, bis die Wirtin sagte: man solle doch nachlassen mit Nötigen, das Mädchen werde ja zusehends blässer, und Hoffmannstropfen täten ihm nöter als Wein. Aber die Gotte wollte deren auch nicht, wollte kaum ein Glas bloßes Wasser, mußte sich endlich einige Tropfen aus einem Riechfläschchen aufs Nastuch schütten lassen, zog un-

16

schuldigerweise manchen verdächtigen Blick sich zu und konnte sich nicht rechtfertigen, konnte sich nicht helfen lassen. An gräßlicher Angst litt die Gotte und durfte sie nicht merken lassen. Es hatte ihr niemand gesagt, welchen Namen das Kind erhalten solle, und den die Gotte nach alter Übung dem Pfarrer, wenn sie ihm das Kind übergibt, einzuflüstern hat, da derselbe die eingeschriebenen Namen, wenn viele Kinder zu taufen sind, leicht verwechseln kann.

Im Hast ob den vielen zu besorgenden Dingen und der Angst, zu spät zu kommen, hatte man die Mitteilung dieses Namens vergessen, und nach diesem Namen zu fragen, hatte ihr ihres Vaters Schwester, die Base, ein für allemal streng verboten, wenn sie ein Kind nicht unglücklich machen wolle; denn sobald eine Gotte nach des Kindes Namen frage, so werde dieses zeitlebens neugierig.

Diesen Namen wußte sie also nicht, durfte nicht darnach fragen, und wenn ihn der Pfarrer auch vergessen hatte und laut und öffentlich darnach fragte oder im Verschuß den Buben Mädeli oder Bäbeli taufte, wie würden da die Leute lachen und welche Schande wäre dies ihr Leben lang! Das kam ihr immer schrecklicher vor; dem starken Mädchen zitterten die Beine wie Bohnenstauden im Winde, und vom blassen Gesichte rann ihm der Schweiß bachweise.

Jetzt mahnte die Wirtin zum Aufbrechen, wenn sie vom Pfarrer nicht wollten angerebelt werden; aber zur Gotte sagte sie: »Du, Meitschi, stehst das nicht aus, du bist ja weiß wie ein frischgewaschenes

Hemd.« Das sei vom Laufen, meinte diese, es werde ihr wieder bessern, wenn sie an die frische Luft komme. Aber es wollte ihr nicht bessern, ganz schwarz schienen ihr alle Leute in der Kirche, und nun fing noch das Kind zu schreien an, mörderlich und immer mörderlicher. Die arme Gotte begann es zu wiegen in ihren Armen, heftiger und immer heftiger, je lauter es schrie, daß Blätter stoben von ihrem Maien an der Brust. Auf dieser Brust ward es ihr enger und schwerer, laut hörte man ihr Atemfassen. Je höher ihre Brust sich hob, um so höher flog das Kind in ihren Armen, und je höher es flog, um so lauter schrie es, und je lauter es schrie, um so gewaltiger las der Pfarrer die Gebete. Die Stimmen prasselten ordentlich an den Wänden, und die Gotte wußte nicht mehr, wo sie war; es sauste und brauste um sie wie Meereswogen, und die Kirche tanzte mit ihr in der Luft herum. Endlich sagte der Pfarrer »Amen«, und jetzt war der schreckliche Augenblick da, jetzt sollte es sich entscheiden, ob sie zum Spott werden sollte für Kind und Kindeskinder; jetzt mußte sie das Tuch abheben, das Kind dem Pfarrer geben, den Namen ihm ins rechte Ohr flüstern. Sie deckte ab, aber zitternd und bebend, reichte das Kind dar, und der Pfarrer nahm es, sah sie nicht an, frug sie nicht mit scharfem Auge, tauchte die Hand ins Wasser, netzte des plötzlich schweigenden Kindes Stirne und taufte kein Mädeli, kein Bäbeli, sondern einen Hans Uli, einen ehrlichen, wirklichen Hans Uli.

Da war's der Gotte, als ob nicht nur sämtliche Emmentalerberge ihr ab dem Herzen fielen, sondern Sonne, Mond und Sterne, und aus einem feurigen Ofen sie jemand trage in ein kühles Bad; aber die ganze Predigt durch bebten ihr die Glieder und wollten nicht wieder stille werden. Der Pfarrer predigte recht schön und eindringlich, wie eigentlich das Leben der Menschen nichts anders sein solle als eine Himmelfahrt; aber zu rechter Andacht brachte es die Gotte nicht, und als man aus der Predigt kam, hatte sie schon den Text vergessen. Sie mochte gar nicht warten, bis sie ihre geheime Angst offenbaren konnte und den Grund ihres blassen Gesichtes. Viel Lachens gab es, und manchen Witz mußte sie hören über die Neugierde, und wie sich die Weiber davor fürchten und sie doch allen ihren Mädchen anhängten, während sie den Buben nichts täte. Da hätte sie nur getrost fragen können.

Schöne Haberacker, niedliche Flachsplätze, herrliches Gedeihen auf Wiese und Acker zogen aber bald die Aufmerksamkeit auf sich und fesselten die Gemüter. Sie fanden manchen Grund, langsam zu gehn, stillezustehn, und doch hatte die schöne, steigende Maiensonne allen warm gemacht, als sie heimkamen, und ein Glas kühlen Weins tat jedermann wohl, wie sehr man sich auch dagegen sträubte. Dann setzte man sich vor das Haus, während in der Küche die Hände emsig sich rührten, das Feuer gewaltig prasselte. Die Hebamme glühte wie einer der drei aus dem feurigen Ofen. Schon vor eilf rief man zum Essen, aber nur die Diensten, speiste die vorweg, und zwar reichlich, aber man war doch froh, wenn sie, die Knechte namentlich, einem aus dem Wege kamen.

Etwas langsam floß den vor dem Hause Sitzenden das Gespräch, doch versiegte es nicht; vor dem Essen stören die Gedanken des Magens die Gedanken der Seele, indessen läßt man nicht gerne diesen innern Zustand innewerden, sondern bemäntelt ihn mit langsamen Worten über gleichgültige Gegenstände. Schon stand die Sonne überem Mittag, als die Hebamme mit flammendem Gesicht, aber immer noch blanker Schürze unter der Türe erschien und die allen willkommene Nachricht brachte, daß man essen könnte, wenn alle da wären. Aber die meisten der Geladenen fehlten noch, und die schon früher nach ihnen gesandten Boten brachten wie die Knechte im Evangelium allerlei Bescheid, mit dem Unterschied jedoch, daß eigentlich alle kommen wollten, nur jetzt noch nicht; der eine hatte Werkleute, der andere Leute bestellt, und der dritte mußte noch wohin – aber warten solle man nicht auf sie, sondern nur fürfahren in der Sache. Rätig war man bald, dieser Mahnung zu folgen, denn wenn man allen warten müßte, sagte man, so könne das gehen, bis der Mond käme; nebenbei freilich brummte die Hebamme: es sei doch nichts Dümmeres als ein solches Wartenlassen, im Herzen wäre doch jeder gerne da, und zwar je eher je lieber, aber es solle es niemand merken. So müsse man die Mühe haben, alles wieder an die Wärme zu stellen, wisse nie, ob man genug habe, und werde nie fertig.

War aber schon der Rat wegen den Abwesenden schnell gefaßt, so war man doch mit den Anwesenden noch nicht fertig, hatte bedenkliche Mühe, sie in die Stube, sie zum Sitzen zu bringen, denn keiner wollte der erste sein, bei diesem nicht, bei jenem nicht. Als endlich alle saßen, kam die Suppe auf den Tisch, eine schöne Fleischsuppe, mit Safran gefärbt und gewürzt und mit dem schönen, weißen Brot, das die Großmutter eingeschnitten, so dick gesättigt, daß von der Brühe wenig sichtbar war. Nun entblößten sich alle Häupter, die Hände falteten sich, und lange und feierlich betete jedes für sich zu dem Geber jeder guten Gabe. Dann erst griff man langsam zum blechernen Löffel, wischte denselben am schönen, feinen Tischtuch aus und ließ sich an die Suppe, und mancher Wunsch wurde laut: wenn man alle Tage eine solche hätte, so begehrte man nichts anderes. Als man mit der Suppe fertig war, wischte man die Löffel am Tischtuch wieder aus, die Züpfe wurde herumgeboten, jeder schnitt sich sein Stück ab und sah zu, wie die Voressen an Safranbrühe aufgetragen wurden, Voressen von Hirn, von Schaffleisch, saure Leber. Als die erledigt waren in bedächtigem Zugreifen, kam, in Schüsseln hoch aufgeschichtet, das Rindfleisch, grünes und dürres, jedem nach Belieben, kamen dürre Bohnen und Kannenbirenschnitze, breiter Speck dazu und prächtige Rückenstücke, von dreizentnerigen Schweinen, so schön rot und weiß und saftig. Das folgte sich langsam alles, und wenn ein neuer Gast kam, so wurde von der Suppe her alles wieder aufgetragen, und jeder mußte da anfangen, wo die andern auch, keinem wurde ein einziges Gericht geschenkt. Zwischendurch schenkte Benz, der Kindbettimann, aus den schönen, weißen Flaschen, welche eine Maß enthielten und mit Wappen und Sprüchen reich geziert waren, fleißig ein. Wohin seine Arme nicht reichen mochten, trug er andern das Schenkamt auf, nötete ernstlich zum Trinken, mahnte sehr oft: »Machet doch aus, er ist dafür da, daß man ihn trinkt!« Und wenn die Hebamme eine Schüssel hineintrug, so brachte er ihr sein Glas, und andere brachten die ihren ihr auch, so daß, wenn sie allemal gehörig hätte Bescheid tun wollen, es in der Küche wunderlich hätte gehen können.

Der jüngere Götti mußte manche Spottrede hören, daß er die Gotte nicht besser zum Trinken zu halten wisse; wenn er das Gesundheitmachen nicht besser verstehe, so kriege er keine Frau. Oh, Hans Uli werde keine begehren, sagte endlich die Gotte, die ledigen Bursche hätten heutzutage ganz andere Sachen im Kopf als das Heiraten, und die meisten vermöchten es nicht einmal mehr. He, sagte Hans Uli, das dünke ihn nichts anders. Solche Schlärpli, wie heutzutage die meisten Mädchen seien, geben gar teure Frauen, die meisten meinten ja, um eine brave Frau zu werden, hätte man nichts nötig als ein blauseidenes Tüchlein um den Kopf, Händschli im Sommer und gestickte Pantöffeli im Winter. Wenn einem die Kühe fehlten im Stalle, so sei man freilich übel geschlagen, aber man könne doch ändern; wenn man aber eine Frau habe, die einen um Haus und Hof bringe, so sei es austubaket, die müsse man behalten. Es sei einem daher nützlicher, man sinne andern Sachen nach als dem Heiraten und lasse Mädchen Mädchen sein.

»Ja, ja, du hast ganz recht«, sagte der ältere Götti, ein kleines, unscheinbares Männchen in geringen Kleidern, den man aber sehr in Ehren hielt und ihm Vetter sagte, denn er hatte keine Kinder, wohl aber einen bezahlten Hof und hunderttausend Schweizerfranken am Zins, »ja, du hast recht«, sagte der, »mit dem Weibervolk ist gar nichts mehr. Ich will nicht sagen, daß nicht hie und da noch eine ist, die einem Hause wohl ansteht, aber die sind dünn gesät. Sie haben nur Narrenwerk und Hoffart im Kopf, ziehen sich an wie Pfauen, ziehen auf wie sturme Störche, und wenn eine einen halben Tag arbeiten soll, so hat sie drei Tage lang Kopfweh und liegt vier Tage im Bett, ehe sie wieder bei ihr selber ist. Als ich um meine Alte buhlte, da war es noch anders, da mußte man noch nicht so im Kummer sein, man kriege statt einer braven Hausmutter nur einen Hausnarr oder gar einen Hausteufel.«

»He, he, Götti Uli«, sagte die Gotte, die schon lange reden wollte, aber nicht dazu gekommen war, »es würde einen meinen, es seien nur zu deinen Zeiten rechte Baurentöchter gewesen. Du kennst sie nur nicht und achtest dich der Mädchen nicht mehr, wie es so einem alten Manne auch wohl ansteht; aber es gibt sie noch immer so gut als zur Zeit, wo deine Alte noch jung gewesen ist. Ich will mich nicht rühmen, aber mein Vater hat schon manchmal gesagt, wenn ich so fortfahre, so tue ich noch die Mutter selig durch, und die ist doch eine berühmte Frau gewesen. So schwere Schweine wie voriges Jahr hat mein Vater noch nie auf den Markt geführt. Der Metzger hat ihm manchmal gesagt: er möchte das Meitschi sehen, welches die gemästet habe. Aber über die heutigen Buben hat man zu klagen; was um der lieben Welt willen ist dann mit diesen? Tubaken, im Wirtshaus sitzen, die weißen Hüte auf der Seite tragen und die Augen aufsperren wie Stadttore, allen Kegelten, allen Schießeten, allen schlechten Meitschene nachstreichen, das können sie; aber wenn einer eine Kuh melken oder einen Acker fahren soll, so ist er fertig, und wenn er ein Werkholz in die Finger nimmt, so tut er dumm wie ein Herr oder gar wie ein Schreiber. Ich habe mich schon manchmal hoch verredet, ich wolle keinen Mann, oder ich wisse dann für gewiß, wie ich mit ihm fahren könne, und wenn schon hie und da noch einer ein Bauer abgibt, so weiß man doch noch lange nicht, was er für ein Mann wird.«

Da lachten die andern gar sehr, trieben dem Mädchen das Blut ins Gesicht und das Gespött mit ihm: wie lange es wohl meine, daß man einen auf die Probe nehmen müsse, bis man für gewiß wisse, was er für ein Mann werde.

So unter Lachen und Scherz nahm man viel Fleisch zu sich, vergaß auch die Kannenbirenschnitze nicht, bis endlich der ältere Götti sagte: es dünke ihn, man sollte einstweilen genug haben und etwas vom Tische weg, die Beine würden unter dem Tische ganz steif, und eine Pfeife schmecke nie besser, als wenn man zuvor Fleisch gegessen hätte. Dieser Rat erhielt allgemeinen Beifall, wie auch die Kindbettileute einredeten, man solle doch nicht vom Tische weg; wenn man einmal davon sei, so bringe man die Menschen fast nicht mehr dazu. »Habe doch nicht Kummer, Base!« sagte der Vetter, »wenn du etwas Gutes auf den Tisch stellst, so hast du mit geringer Mühe uns wieder dabei, und wenn wir uns ein wenig strecken, so geht es um so handlicher wieder mit dem Essen.«

Die Männer machten nun die Runde in den Ställen, taten einen Blick auf die Bühne, ob noch altes Heu vorhanden sei, rühmten das schöne Gras und schauten in die Bäume hinauf, wie groß der Segen wohl sein möge, der von ihnen zu hoffen sei.

Unter einem der noch blühenden Bäume machte der Vetter halt und sagte: da schicke es sich wohl am besten, abzusitzen und ein Pfeifchen anzustecken, es sei gut kühl da, und wenn die Weiber wieder etwas Gutes angerichtet hätten, so sei man nahe bei der Hand. Bald gesellte sich die Gotte zu ihnen, die mit den andern Weibern den Garten und die Pflanzplätze besehen hatte. Der Gotte kamen die andern Weiber nach, und eine nach der andern ließ sich nieder ins Gras, vorsichtig die schönen Kittel in Sicherheit bringend, dagegen ihre Unterröcke mit dem hellen roten Rande der Gefahr aussetzend, ein Andenken zu erhalten vom grünen Grase.

Der Baum, um den die ganze Gesellschaft sich lagerte, stand oberhalb des Hauses am sanften Anfang der Halde. Zuerst ins Auge fiel das schöne, neue Haus; über dasselbe weg konnten die Blicke schweifen an den jenseitigen Talesrand, über manchen schönen, reichen Hof und weiterhin über grüne Hügel und dunkle Täler weg.

»Du hast da ein stattliches Haus, und alles ist gut angegeben dabei«, sagte der Vetter, »jetzt könnt ihr auch sein darin und habt Platz für alles; ich konnte nie begreifen, wie man sich in einem so schlechten Hause so lange leiden kann, wenn man

Geld und Holz genug zum Bauen hat, wie ihr zum Exempel.« »Vexier nicht, Vetter!« sagte der Großvater, »es hat von beidem nichts zu rühmen; dann ist das Bauen eine wüste Sache, man weiß wohl, wie man anfängt, aber nie, wie man aufhört, und manchmal ist einem noch dies im Wege oder das, an jedem Orte etwas anders.«

»Mir gefällt das Haus ganz ausnehmend wohl«, sagte eine der Frauen. »Wir sollten auch schon lange ein neues haben, aber wir scheuen immer die Kosten. Sobald mein Mann aber kommt, muß er dieses recht besehen, es dünkt mich, wenn wir so eins haben könnten, ich wäre im Himmel. Aber fragen möchte ich doch, nehmt es nicht für ungut, warum da gleich neben dem ersten Fenster der wüste, schwarze Fensterposten (Bystel) ist, der steht dem ganzen Hause übel an.«

Der Großvater machte ein bedenkliches Gesicht, zog noch härter an seiner Pfeife und sagte endlich: es hätte an Holz gefehlt beim Aufrichten, kein anderes sei gleich bei der Hand gewesen, da habe man in Not und Eile einiges vom alten Hause genommen. »Aber«, sagte die Frau, »das schwarze Stück Holz war ja noch dazu zu kurz, oben und unten ist es angesetzt, und jeder Nachbar hätte euch von Herzen gerne ein ganz neues Stück gegeben.« »Ja, wir haben es halt nicht besser gsinnet und durften unsere Nachbaren nicht immer von neuem plagen, sie hatten uns schon genug geholfen mit Holz und Fahren«, antwortete der Alte.

»Hör, Ätti«, sagte der Vetter, »mache nicht Schneckentänze, sondern gib die Wahrheit an und aufrichtigen Bericht! Schon manches habe ich raunen hören, aber punktum das Wahre nie vernehmen können. Jetzt schickte es sich so wohl, bis die Weiber den Braten zweghaben, du würdest uns damit so 5 kurze Zeit machen, darum gib aufrichtigen Bericht!« Noch manchen Schneckentanz machte der Großvater, ehe er sich dazu verstund; aber der Vetter und die Weiber ließen nicht nach, bis er es endlich versprach, jedoch unter dem ausdrücklichen Vor- 10 behalt, daß ihm dann lieber wäre, was er erzähle, bliebe unter ihnen und käme nicht weiter. So etwas scheuen gar viele Leute an einem Hause, und er möchte in seinen alten Tagen nicht gerne seinen Leuten böses Spiel machen.

15 »Allemal, wenn ich dieses Holz betrachte«, begann der ehrwürdige Alte, »so muß ich mich verwundern, wie das wohl zuging, daß aus dem fernen Morgenlande, wo das Menschengeschlecht entstanden sein soll, Menschen bis hieher kamen und diesen 20 Winkel in diesem engen Graben fanden, und muß denken, was die, welche bis hierher verschlagen oder gedrängt wurden, alles ausgestanden haben werden und wer sie wohl mögen gewesen sein. Ich habe viel darüber nachgefragt, aber nichts erfahren können, 25 als daß diese Gegend schon sehr früh bewohnt gewesen, ja Sumiswald, noch ehe unser Heiland auf der Welt war, eine Stadt gewesen sein soll; aber aufgeschrieben steht das nirgends. Doch das weiß man, daß es schon mehr als sechshundert Jahre her 30 ist, daß das Schloß steht, wo jetzt der Spital ist, und wahrscheinlich um dieselbe Zeit stund auch hier schon ein Haus und gehörte samt einem großen

Teil der Umgegend zu dem Schlosse, mußte dorthin Zehnten und Bodenzinse geben, Frondienste leisten, ja, die Menschen waren leibeigen und nicht eigenen Rechtens, wie jetzt jeder ist, sobald er zu Jahren kömmt. Gar ungleich hatten es damals die Menschen, und nahe beieinander wohnten Leibeigene, welche die besten Händel hatten, und solche, die schwer, fast unerträglich gedrückt wurden, ihres Lebens nicht sicher waren. Ihr Zustand hing jeweilen von ihren Herren ab; die waren gar ungleich und doch fast unumschränkt Meister über ihre Leute, und diese fanden keinen, dem sie so leichtlich und wirksam klagen konnten. Die, welche zu diesem Schlosse gehörten, sollen es schlimmer gehabt haben zuzeiten als die meisten, welche zu andern Schlössern gehörten. Die meisten andern Schlösser gehörten einer Familie, kamen von dem Vater auf den Sohn, da kannten der Herr und seine Leute sich von Jugend auf, und gar mancher war seinen Leuten wie ein Vater. Dieses Schloß kam nämlich frühe in die Hände von Rittern, die man die Teutschen nannte, und der, welcher hier zu befehlen hatte, den nannte man den Komtur. Diese Obern wechselten nun, und bald war einer da aus dem Sachsenland und bald einer aus dem Schwabenland; da kam keine Anhänglichkeit auf, und ein jeder brachte Brauch und Art mit aus seinem Lande.

Nun sollten sie eigentlich in Polen und im Preußenlande mit den Heiden streiten, und dort, obgleich sie eigentlich geistliche Ritter waren, gewöhnten sie sich fast an ein heidnisch Leben und gingen mit andern Menschen um, als ob kein Gott im Him-

mel wäre, und wenn sie dann heimkamen, so meinten sie noch immer, sie seien im Heidenland, und
trieben das gleiche Leben fort. Denn die, welche
lieber im Schatten lustig lebten als im wüsten Lande
5 blutig stritten, oder die, welche ihre Wunden heilen,
ihren Leib stärken mußten, kamen auf die Güter,
welche der Orden, so soll man die Gesellschaft der
Ritter genannt haben, in Deutschland und in der
Schweiz besaß, und taten jeder nach seiner Art, und
10 was ihm wohlgefiel. Einer der wüstesten soll der
Hans von Stoffeln gewesen sein aus dem Schwaben-
lande, und unter ihm soll es sich zugetragen haben,
was ihr von mir wissen wollt und was sich bei uns
von Vater auf den Sohn vererbet hat.

15 Diesem Hans von Stoffeln fiel es bei, dort hinten
auf dem Bärhegenhubel ein großes Schloß zu bauen;
dort, wo man noch jetzt, wenn es wild Wetter geben will, die Schloßgeister ihre Schätze sonnen
sieht, stand das Schloß. Sonst bauten die Ritter ihre
20 Schlösser über den Straßen, wie man jetzt die Wirts-
häuser an die Straßen baut, beides, um die Leute
besser plündern zu können, auf verschiedene Weise
freilich. Warum aber der Ritter dort auf dem wilden, wüsten Hubel in der Einöde ein Schloß haben
25 wollte, wissen wir nicht, genug, er wollte es, und
die Bauern, welche zum Schlosse gehörten, mußten
es bauen. Der Ritter fragte nach keinem von der
Jahreszeit gebotenen Werk, nicht nach dem Heuet,
nicht nach der Ernte, nicht nach dem Säet. Soundso
30 viel Züge mußten fahren, soundso viel Hände mußten arbeiten, zu der und der Zeit sollte der letzte
Ziegel gedeckt, der letzte Nagel geschlagen sein.

Dazu schenkte er keine Zehntgarbe, kein Mäß Bodenzins, kein Fasnachthuhn, ja nicht einmal ein Fasnachtei; Barmherzigkeit kannte er keine, die Bedürfnisse armer Leute kannte er nicht. Er ermunterte sie auf heidnische Weise mit Schlägen und Schimpfen, und wenn einer müde wurde, langsamer sich rührte oder gar ruhen wollte, so war der Vogt hinter ihm mit der Peitsche, und weder Alter noch Schwachheit ward verschont. Wenn die wilden Ritter oben waren, so hatten sie ihre Freude dran, wenn die Peitsche recht knallte, und sonst trieben sie noch manchen Schabernack mit den Arbeitern; wenn sie ihre Arbeit mutwillig verdoppeln konnten, so sparten sie es nicht und hatten dann große Freude an ihrer Angst, an ihrem Schweiß.

Endlich war das Schloß fertig, fünf Ellen dick die Mauren, niemand wußte, warum es da oben stand, aber die Bauren waren froh, daß es einmal stand, wenn es doch stehen mußte, der letzte Nagel geschlagen, der letzte Ziegel oben war.

Sie wischten sich den Schweiß von den Stirnen, sahen mit betrübtem Herzen sich um in ihrem Besitztum, sahen seufzend, wie weit der unselige Bau sie zurückgebracht. Aber war doch ein langer Sommer vor ihnen und Gott über ihnen, darum faßten sie Mut und kräftig den Pflug und trösteten Weib und Kind, die schweren Hunger gelitten, und denen Arbeit eine neue Pein schien.

Aber kaum hatten sie den Pflug ins Feld geführt, so kam Botschaft, daß alle Hofbauern eines Abends zur bestimmten Stunde im Schlosse zu Sumiswald sich einfinden sollten. Sie bangten und hofften. Freilich hatten sie von den gegenwärtigen Bewohnern des Schlosses noch nichts Gutes genossen, sondern lauter Mutwillen und Härte, aber es dünkte sie billig, daß die Herren ihnen etwas täten für den unerhörten Frondienst, und weil es sie so dünkte, so meinten viele, es dünke die Herren auch so und sie werden an selbem Abend ihnen ein Geschenk machen oder einen Nachlaß verkünden wollen.

Sie fanden sich am bestimmten Abend zeitig und mit klopfendem Herzen ein, mußten aber lange warten im Schloßhofe, den Knechten zum Gespött. Die Knechte waren auch im Heidenlande gewesen. Zudem wird es gewesen sein wie jetzt, wo jedes halbbatzige Herrenknechtlein das Recht zu haben meint, gesessene Bauern verachten zu können und verhöhnen zu dürfen.

Endlich wurden sie in den Rittersaal entboten; vor ihnen öffnete sich die schwere Türe; drinnen saßen um den schweren Eichentisch die schwarzbraunen Ritter, wilde Hunde zu ihren Füßen, und obenan der von Stoffeln, ein wilder, mächtiger Mann, der einen Kopf hatte wie ein doppelt Bernmäß, Augen machte wie Pflugsräder und einen Bart hatte wie eine alte Löwenmähne. Keiner ging gerne zuerst hinein, einer stieß den andern vor. Da lachten die Ritter, daß der Wein über die Humpen spritzte, und wütend stürzten die Hunde vor; denn wenn diese zitternde, zagende Glieder sehen, so meinen sie, dieselben gehören einem zu jagenden Wilde. Den Bauern aber ward nicht gut zumute, es dünkte sie, wenn sie nur wieder daheim wären, und einer drückte sich hinter den andern. Als endlich

Hunde und Ritter schwiegen, erhob der von Stoffeln seine Stimme, und sie tönte wie aus einer hundertjährigen Eiche: ›Mein Schloß ist fertig, doch noch eines fehlt, der Sommer kömmt, und droben ist kein Schattengang. In Zeit eines Monates sollt ihr mir einen pflanzen, sollt hundert ausgewachsene Buchen nehmen aus dem Münneberg mit Ästen und Wurzeln und sollt sie mir pflanzen auf Bärhegen, und wenn eine einzige Buche fehlt, so büßt ihr mir es mit Gut und Blut. Drunten steht Trunk und Imbiß, aber morgen soll die erste Buche auf Bärhegen stehn.‹

Als von Trunk und Imbiß einer hörte, meinte er, der Ritter sei gnädig und gut gelaunt und begann zu reden von ihrer notwendigen Arbeit und dem Hunger von Weib und Kind und vom Winter, wo die Sache besser zu machen wäre. Da begann der Zorn des Ritters Kopf größer und größer zu schwellen, und seine Stimme brach los wie der Donner aus einer Fluh, und er sagte ihnen: wenn er gnädig sei, so seien sie übermütig. Wenn im Polenlande einer das nackte Leben habe, so küsse er einem die Füße, hier hätten sie Kind und Rind, Dach und Fach und doch nicht satt. ›Aber gehorsamer und genügsamer mache ich euch, so wahr ich Hans von Stoffeln bin, und wenn in Monatsfrist die hundert Buchen nicht oben stehen, so lasse ich euch peitschen, bis kein Fingerlang mehr ganz an euch ist, und Weiber und Kinder werfe ich den Hunden vor.‹

Da wagte keiner mehr eine Einrede, aber auch keiner begehrte von dem Trunk und Imbiß; sie drängten sich, als der zornige Befehl gegeben war,

zur Türe hinaus, und jeder wäre gerne der erste gewesen, und weithin folgte ihnen des Ritters don-
nernde Stimme nach, der andern Ritter Gelächter,
der Knechte Spott, der Rüden Geheul.

5 Als der Weg sich beugte, vom Schlosse sie nicht
mehr konnten gesehen werden, setzten sie sich an
des Weges Rand und weinten bitterlich, keiner hatte
einen Trost für den andern, und keiner hatte den
Mut zu rechtem Zorn, denn Not und Plage hatten
10 den Mut ihnen ausgelöscht, so daß sie keine Kraft
mehr zum Zorne hatten, sondern nur noch zum
Jammer. Über drei Stunden weit sollten sie durch
wilde Wege die Buchen führen mit Ästen und Wurzeln den steilen Berg hinauf, und neben diesem
15 Berge wuchsen viele und schöne Buchen, und die
mußten sie stehen lassen! In Monatsfrist sollte das
Werk geschehen sein, zwei Tage drei, den dritten
vier Bäume sollten sie schleppen durchs lange Tal,
den steilen Berg auf mit ihrem ermatteten Vieh.
20 Und über alles dieses war es der Maimond, wo der
Bauer sich rühren muß auf seinem Acker, fast Tag
und Nacht ihn nicht verlassen darf, wenn er Brot
will und Speise für den Winter.

Wie sie da so ratlos weinten, keiner den andern
25 ansehen, in den Jammer des andern sehen durfte,
weil der seinige schon über ihm zusammenschlug,
und keiner heimdurfte mit der Botschaft, keiner den
Jammer heimtragen mochte zu Weib und Kind,
stund plötzlich vor ihnen, sie wußten nicht, woher,
30 lang und dürre ein grüner Jägersmann. Auf dem
kecken Barett schwankte eine rote Feder, im schwarzen Gesichte flammte ein rotes Bärtchen, und zwi-

schen der gebogenen Nase und dem zugespitzten Kinn, fast unsichtbar wie eine Höhle unter überhangendem Gestein, öffnete sich ein Mund und frug: ›Was gibt es, ihr guten Leute, daß ihr da sitzet und heulet, daß es Steine aus dem Boden sprengt und Äste ab den Bäumen?‹ Zweimal frug er also, und zweimal erhielt er keine Antwort.

Da ward noch schwärzer des Grünen schwarz Gesicht, noch röter das rote Bärtchen, es schien darin zu knistern und zu spretzeln wie Feuer im Tannenholz; wie ein Pfeil spitzte sich der Mund, dann tat er sich auseinander und frug ganz holdselig und mild: ›Aber, ihr guten Leute, was hilft es euch, daß ihr dasitzet und heulet? Ihr könnet da heulen, bis es eine neue Sündflut gibt oder euer Geschrei die Sterne aus dem Himmel sprengt; aber damit wird euch wahrscheinlich wenig geholfen sein. Wenn euch aber Leute fragen, was ihr hättet, Leute, die es gut mit euch meinen, euch vielleicht helfen könnten, so solltet ihr, statt zu heulen, antworten und ein vernünftig Wort reden, das hülfe euch viel mehr.‹ Da schüttelte ein alter Mann das weiße Haupt und sprach: ›Haltet es nicht für ungut, aber das, worüber wir weinen, nimmt kein Jägersmann uns ab, und wenn das Herz einmal im Jammer verschwollen ist, so kommen keine Worte mehr daraus.‹

Da schüttelte sein spitziges Haupt der Grüne und sprach: ›Vater, Ihr redet nicht dumm, aber so ist es doch nicht. Man mag schlagen, was man will, Stein oder Baum, so gibt es einen Ton von sich, es klaget. So soll auch der Mensch klagen, soll alles klagen, soll dem ersten besten klagen, vielleicht hilft ihm der erste beste. Ich bin nur ein Jägersmann, wer weiß, ob ich nicht daheim ein tüchtiges Gespann habe, Holz und Steine oder Buchen und Tannen zu führen?‹

5 Als die armen Bauren das Wort Gespann hörten, fiel es ihnen allen ins Herz, ward da zu einem Hoffnungsfunken, und alle Augen sahen auf ihn, und dem Alten ging der Mund noch weiter auf, er sprach: es sei nicht immer richtig, dem ersten dem besten zu
10 sagen, was man auf dem Herzen hätte; da man ihm es aber anhöre, daß er es gut meine, daß er vielleicht helfen könne, so wolle man kein Hehl vor ihm haben. Mehr als zwei Jahre hätten sie schwer gelitten unter dem neuen Schloßbau, kein Hauswesen sei in
15 der ganzen Herrschaft, welches nicht bitterlich im Mangel sei. Jetzt hätten sie frisch aufgeatmet in der Meinung, endlich freie Hände zu haben zur eigenen Arbeit, hätten mit neuem Mut den Pflug ins Feld geführt, und soeben hätte der Komtur ihnen befoh-
20 len, aus im Münneberg gewachsenen Buchen in Monatsfrist beim neuen Schloß einen neuen Schattengang zu pflanzen. Sie wüßten nicht, wie das vollbringen in dieser Frist mit ihrem abgekarrten Vieh, und wenn sie es vollbrächten, was hülfe es ihnen?
25 Anpflanzen könnten sie nicht und müßten nachher Hungers sterben, im Fall die harte Arbeit sie nicht schon tötete. Diese Botschaft dürften sie nicht heimtragen, möchten nicht zum alten Elend noch den neuen Jammer schütten.

30 Da machte der Grüne ein gar mitleidiges Gesicht, hob drohend die lange, magere, schwarze Hand gegen das Schloß empor und vermaß sich zu schwerer

Rache gegen solche Tyrannei. Ihnen aber wolle er helfen. Sein Gespann, wie keines sei im Lande, solle vom Kilchstalden weg, diesseits Sumiswald, ihnen alle Buchen, so viele sie dorthin zu bringen vermöchten, auf Bärhegen führen, ihnen zulieb, den Rittern zum Trotz und um geringen Lohn.

Da horchten hochauf die armen Männer bei diesem unerwarteten Anerbieten. Konnten sie um den Lohn einig werden, so waren sie gerettet, denn bis an den Kilchstalden konnten sie die Buchen führen, ohne daß ihre Landarbeit darüber versäumt und sie zugrunde gingen. Darum sagte der Alte: ›So sag an, was du verlangst, auf daß wir mit dir des Handels einig werden mögen!‹ Da machte der Grüne ein pfiffig Gesicht; es knisterte in seinem Bärtchen, und wie Schlangenaugen funkelten sie seine Augen an, und ein greulich Lachen stand in beiden Mundwinkeln, als er ihn voneinandertat und sagte: ›Wie ich gesagt, ich begehre nicht viel, nicht mehr als ein ungetauftes Kind.‹

Das Wort zuckte durch die Männer wie ein Blitz, eine Decke fiel es von ihren Augen, und wie Spreu im Wirbelwinde stoben sie auseinander.

Da lachte hellauf der Grüne, daß die Fische im Bache sich bargen, die Vögel das Dickicht suchten, und grausig schwankte die Feder am Hute, und auf- und niederging das Bärtchen. ›Besinnet euch oder suchet bei euren Weibern Rat, in der dritten Nacht findet ihr hier mich wieder!‹, so rief er den Fliehenden mit scharf tönender Stimme nach, daß die Worte in ihren Ohren hängenblieben, wie Pfeile mit Widerhaken hängenbleiben im Fleische.

Blaß und zitternd an der Seele und an allen Gliedern stäubten die Männer nach Hause; keiner sah nach dem andern sich um, keiner hätte den Hals gedreht, nicht um alle Güter der Welt. Als so verstört die Männer dahergestoben kamen wie Tauben, vom Vogel gejagt, zum Taubenschlag, da drang mit ihnen der Schrecken in alle Häuser, und alle bebten vor der Kunde, welche den Männern die Glieder also durcheinanderwarf.

In zitternder Neugierde schlichen die Weiber den Männern nach, bis sie dieselben an den Orten hatten, wo man im stillen ein vertraut Wort reden konnte. Da mußte jeder Mann seinem Weibe erzählen, was sie im Schloß vernommen, das hörten sie mit Wut und Fluch; sie mußten erzählen, wer ihnen begegnet, was er ihnen angetragen. Da ergriff namenlose Angst die Weiber, ein Wehgeschrei ertönte über Berg und Tal, einer jeden ward, als hätte ihr eigen Kind der Ruchlose begehrt. Ein einziges Weib schrie nicht den andern gleich. Das war ein grausam handlich Weib, eine Lindauerin soll es gewesen sein, und hier auf dem Hofe hat es gewohnt. Es hatte wilde, schwarze Augen und fürchtete sich nicht viel vor Gott und Menschen. Böse war es schon geworden, daß die Männer dem Ritter nicht rundweg das Begehren abgeschlagen; wenn es dabeigewesen, es hätte ihm es sagen wollen, sagte es. Als sie vom Grünen hörte und seinem Antrage und wie die Männer davongestoben, da ward sie erst recht böse und schalt die Männer über ihre Feigheit und daß sie dem Grünen nicht kecker ins Gesicht gesehen, vielleicht hätte er mit einem andern Lohne sich auch

37

begnügt, und da die Arbeit für das Schloß sei, würde es ihren Seelen nichts schaden, wenn der Teufel sie mache. Sie ergrimmte in der Seele, daß sie nicht dabeigewesen, und wäre es nur, damit sie einmal den Teufel gesehen und auch wüßte, was er für ein Aussehen hätte. Darum weinte dieses Weib nicht, sondern redete in seinem Grimme harte Worte gegen den eigenen Mann und gegen alle andern Männer.

Des folgenden Tages, als in stilles Gewimmer das Wehgeschrei verglommen war, saßen die Männer zusammen, suchten Rat und fanden keinen. Anfangs war die Rede von neuem Bitten bei dem Ritter, aber niemand wollte bitten gehen, keinem schien Leib und Leben feil. Einer wollte Weiber und Kinder schicken mit Geheul und Jammer, der aber verstummte schnell, als die Weiber zu reden begannen; denn schon damals waren die Weiber in der Nähe, wenn die Männer im Rate saßen. Sie wußten keinen Rat, als in Gottes Namen Gehorsam zu versuchen, sie wollten Messen lesen lassen, um Gottes Beistand zu gewinnen, wollten Nachbaren um nächtliche geheime Hülfe ansprechen, denn eine offenbare hätten ihnen ihre Herren nicht erlaubt, wollten sich teilen, die Hälfte sollte bei den Buchen schaffen, die andere Hälfte Haber säen und des Viehes warten. Sie hofften, auf diese Weise und mit Gottes Hülfe täglich wenigstens drei Buchen auf Bärhegen hinauf zu schaffen; vom Grünen redete niemand; ob niemand an ihn dachte, ist nicht verzeichnet worden.

Sie teilten sich ein, rüsteten die Werkzeuge, und als der erste Maitag über seine Schwelle kam, sammelten die Männer sich am Münneberg und begannen mit gefaßtem Mute die Arbeit. In weitem Ringe mußten die Buchen umgraben, sorgfältig die Wurzeln geschont, sorgfältig die Bäume, damit sie sich nicht verletzten, zur Erde gelassen werden. Noch war der Morgen nicht hoch am Himmel, als drei zur Abfahrt bereitlagen, denn immer drei sollten zusammen geführt werden, damit man auf dem schweren Weg mit Hand und Vieh sich gegenseitig helfen könne. Aber schon stund die Sonne im Mittag, und noch waren sie mit den drei Buchen nicht zum Walde hinaus, schon stand sie hinter den Bergen, und noch waren die Züge nicht über Sumiswald hinaus; erst der neue Morgen fand sie am Fuße des Berges, auf dem das Schloß stand, und die Buchen sollten gepflanzet werden. Es war, als ob ein eigener Unstern Macht hätte über sie. Ein Mißgeschick nach dem andern traf sie: die Geschirre zerrissen, die Wagen brachen, Pferde und Ochsen fielen oder weigerten den Gehorsam. Noch ärger ging es am zweiten Tage. Neue Not brachte immerfort neue Mühe, unter rastloser Arbeit keuchten die Armen, und keine Buche war noch oben, keine vierte Buche über Sumiswald hinausgeschafft.

Der von Stoffeln schalt und fluchte; je mehr er schalt und fluchte, um so größer ward der Unstern, um so stättiger das Vieh. Die andern Ritter lachten und höhnten und freuten sich gar sehr über das Zappeln der Bauren, den Zorn des von Stoffeln. Sie hatten gelacht über des von Stoffeln neues Schloß auf dem nackten Gipfel. Da hatte der geschworen: in Monatsfrist müßte ein schöner Laubgang droben sein. Darum fluchte er, darum lachten die Ritter, und weinen taten die Bauren.

Eine fürchterliche Mutlosigkeit erfaßte diese, keinen Wagen hatten sie mehr ganz, keinen Zug unbeschädigt, in zwei Tagen nicht drei Buchen zur Stelle gebracht, und alle Kraft war erschöpft.

Nacht war es geworden, schwarze Wolken stiegen auf, es blitzte zum ersten Male in diesem Jahre. An den Weg hatten sich die Männer gesetzt, es war die gleiche Beugung des Weges, in welcher sie vor drei Tagen gesessen waren, sie wußten es aber nicht. Da saß der Hornbachbauer, der Lindauerin Mann, mit zwei Knechten, und andere mehr saßen auch bei ihnen. Sie wollten da auf Buchen warten, die von Sumiswald kommen sollten, wollten ungestört sinnen über ihr Elend, wollten ruhen lassen ihre zerschlagenen Glieder.

Da kam rasch, daß es fast pfiff, wie der Wind pfeift, wenn er aus den Kammern entronnen ist, ein Weib daher, einen großen Korb auf dem Kopfe. Es war Christine, die Lindauerin, des Hornbachbauren Eheweib, zu dem derselbe gekommen war, als er einmal mit seinem Herrn zu Felde gezogen war. Sie war nicht von den Weibern, die froh sind, daheim zu sein, in der Stille ihre Geschäfte zu beschicken, und die sich um nichts kümmern als um Haus und Kind. Christine wollte wissen, was ging, und wo sie ihren Rat nicht dazu geben konnte, da ginge es schlecht, so meinte sie.

Mit der Speise hatte sie daher keine Magd gesandt, sondern den schweren Korb auf den eigenen Kopf genommen und die Männer lange gesucht umsonst; bittere Worte ließ sie fallen darüber, sobald sie dieselben gefunden. Unterdessen war sie aber nicht müßig, die konnte noch reden und schaffen zu gleicher Zeit. Sie stellte den Korb ab, deckte den Kübel ab, in welchem das Hafermus war, legte das Brot und den Käse zurecht und steckte jedem gegenüber für Mann und Knecht die Löffel ins Mus und hieß auch die andern zugreifen, die noch speislos waren. Dann frug sie nach der Männer Tagewerk und wieviel geschaffet worden in den zwei Tagen. Aber Hunger und Worte waren den Männern ausgegangen, und keiner griff zum Löffel, und keiner hatte eine Antwort. Nur ein leichtfertig Knechtlein, dem es gleichgültig war, regne oder sonnenscheine es in der Ernte, wenn nur das Jahr umging und der Lohn kam und zu jeder Essenszeit das Essen auf den Tisch, griff zum Löffel und berichtete Christine, daß noch keine Buche gepflanzet sei und alles gehe, als ob sie verhext wären.

Da schalt die Lindauerin, daß das eitel Einbildung wäre und die Männer nichts als Kindbetterinnen; mit Schaffen und Weinen, mit Hocken und Heulen werde man keine Buchen auf Bärhegen bringen. Ihnen würde nur ihr Recht widerfahren, wenn der Ritter seinen Mutwillen an ihnen ausließe; aber um Weib und Kinder willen müsse die Sache anders zur Hand genommen werden. Da kam plötzlich über die Achsel des Weibes eine lange schwarze Hand, und eine gellende Stimme rief: ›Ja, die hat recht!‹ Und mitten unter ihnen stand mit grinsendem Gesicht der Grüne, und lustig schwankte die rote Feder auf seinem Hute. Da hob der Schreck

die Männer von dannen, sie stoben die Halde auf
wie Spreu im Wirbelwinde.

Nur Christine, die Lindauerin, konnte nicht fliehen, sie erfuhr es, wie man den Teufel leibhaftig
kriegt, wenn man ihn an die Wand male. Sie blieb
stehen wie gebannt, mußte schauen die rote Feder
am Barett und wie das rote Bärtchen lustig auf- und
niederging im schwarzen Gesichte. Gellend lachte
der Grüne den Männern nach, aber gegen Christine
machte er ein zärtlich Gesicht und faßte mit höf-
licher Gebärde ihre Hand. Christine wollte sie weg-
ziehen, aber sie entrann dem Grünen nicht mehr, es
war ihr, als zische Fleisch zwischen glühenden Zan-
gen. Und schöne Worte begann er zu reden, und zu
den Worten zwitzerte lüstern sein rot Bärtchen auf
und ab. So ein schön Weibchen habe er lange nicht
gesehen, sagte er, das Herz lache ihm im Leibe; zudem habe er sie gerne mutig, und gerade die seien
ihm die liebsten, welche stehenbleiben dürften, wenn
die Männer davonliefen.

Wie er so redete, kam Christinen der Grüne immer weniger schreckhaft vor. Mit dem sei doch noch
zu reden, dachte sie, und sie wüßte nicht, warum
davonlaufen, sie hätte schon viel Wüstere gesehen.
Der Gedanke kam ihr immer mehr: mit dem ließe
sich etwas machen, und wenn man recht mit ihm zu
reden wüßte, so täte er einem wohl einen Gefallen,
oder am Ende könnte man ihn übertölpeln wie die
andern Männer auch. Er wüßte gar nicht, fuhr der
Grüne fort, warum man sich so vor ihm scheue, er
meine es doch so gut mit allen Menschen, und wenn
man so grob gegen ihn sei, so müsse man sich nicht

42

wundern, wenn er den Leuten nicht immer täte, was
ihnen am liebsten wäre. Da faßte Christine ein Herz
und antwortete: er erschrecke aber die Leute auch,
daß es schrecklich wäre. Warum habe er ein unge-
5 tauft Kind verlangt, er hätte doch von einem andern Lohn reden können, das komme den Leuten
gar verdächtig vor, ein Kind sei immer ein Mensch,
und ungetauft eins aus den Händen geben, das
werde kein Christ tun. ›Das ist mein Lohn, an den
10 ich gewohnt bin, und um anderen fahre ich nicht,
und was frägt man doch so einem Kinde nach, das
noch niemand kennt? So jung gibt man sie am liebsten weg, hat man doch noch keine Freude an ihnen
gehabt und keine Mühe mit ihnen. Ich aber habe
15 sie je jünger je lieber, je früher ich ein Kind erziehen
kann auf meine Manier, um so weiter bringe ich es,
dazu habe ich aber das Taufen gar nicht nötig und
will es nicht.‹ Da sah Christine wohl, daß er mit
keinem andern Lohn sich werde begnügen wollen;
20 aber es wuchs in ihr immer mehr der Gedanke: das
wäre doch der einzige, der nicht zu betrügen wäre!
  Darum sagte sie: wenn aber einer etwas verdie-
nen wolle, so müßte er sich mit dem Lohne begnügen, den man ihm geben könne, sie aber hätten
25 gegenwärtig in keinem Hause ein ungetauft Kind,
und in Monatsfrist gebe es keins, und in dieser Zeit
müßten die Buchen geliefert sein. Da schwänzelte
gar höflich der Grüne und sagte: ›Ich begehre das
Kind ja nicht zum voraus. Sobald man mir ver-
30 spricht, das erste zu liefern ungetauft, welches geboren wird, so bin ich schon zufrieden.‹ Das gefiel
Christine gar wohl. Sie wußte, daß es in geraumer

Zeit kein Kind geben werde in ihrer Herren Gebiet. Wenn nun einmal der Grüne sein Versprechen gehalten und die Buchen gepflanzt seien, so brauche man ihm gar nichts mehr zu geben, weder ein Kind noch was anderes; man lasse Messen lesen zu Schutz und Trutz und lache tapfer den Grünen aus, so dachte Christine. Sie dankte daher schon ganz herzhaft für das gute Anerbieten und sagte: es sei zu bedenken und sie wolle mit den Männern darüber reden. ›Ja‹, sagte der Grüne, ›da ist gar nichts mehr weder zu denken noch zu reden. Für heute habe ich euch bestellt, und jetzt will ich den Bescheid; ich habe noch an gar vielen Orten zu tun und bin nicht bloß wegen euch da. Du mußt mir zu- oder absagen, nachher will ich von dem ganzen Handel nichts mehr wissen.‹ Christine wollte die Sache verdrehen, denn sie nahm sie nicht gerne auf sich, sie wäre sogar gerne zärtlich geworden, um Stündigung zu erhalten, allein der Grüne war nicht aufgelegt, wankte nicht; ›jetzt oder nie!‹ sagte er. Sobald aber der Handel geschlossen sei um ein einzig Kind, so wolle er in jeder Nacht soviel Buchen auf Bärhegen führen, als man ihm vor Mitternacht unten an den Kirchstalden liefere, dort wollte er sie in Empfang nehmen. ›Nun, schöne Frau, bedenke dich nicht!‹ sagte der Grüne und klopfte Christine holdselig auf die Wange. Da klopfte doch ihr Herz, sie hätte lieber die Männer hineingestoßen, um hintendrein sie schuld geben zu können. Aber die Zeit drängte, kein Mann war da als Sündenbock, und der Glaube verließ sie nicht, daß sie listiger als der Grüne sei und wohl ein Einfall kommen werde, ihn mit langer

44

Nase abzuspeisen. Darum sagte Christine: sie für ihre Person wolle zugesagt haben; wenn aber dann später die Männer nicht wollten, so vermöchte sie sich dessen nicht und er solle es sie nicht entgelten lassen. Mit dem Versprechen, zu tun, was sie könne, sei er hinlänglich zufrieden, sagte der Grüne. Jetzt schauderte es Christine doch an Leib und Seele, jetzt, meinte sie, komme der schreckliche Augenblick, wo sie mit Blut von ihrem Blute dem Grünen den Akkord unterschreiben müsse. Aber der Grüne machte es viel leichtlicher und sagte: von hübschen Weibern begehre er nie eine Unterschrift, mit einem Kuß sei er zufrieden. Somit spitzte er seinen Mund gegen Christines Gesicht, und Christine konnte nicht fliehen, war wiederum wie gebannt, steif und starr. Da berührte der spitzige Mund Christines Gesicht, und ihr war, als ob von spitzigem Eisen aus Feuer durch Mark und Bein fahre, durch Leib und Seele; und ein gelber Blitz fuhr zwischen ihnen durch und zeigte Christine freudig verzerrt des Grünen teuflisch Gesicht, und ein Donner fuhr über sie, als ob der Himmel zersprungen wäre.

Verschwunden war der Grüne, und Christine stund wie versteinert, als ob tief in den Boden hinunter ihre Füße Wurzeln getrieben hätten in jenem schrecklichen Augenblick. Endlich war sie ihrer Glieder wieder mächtig, aber im Gemüte brauste und sauste es ihr, als ob ein mächtiges Wasser seine Fluten wälze über turmhohen Felsen hinunter in schwarzen Schlund. Wie man im Donner der Wasser die eigene Stimme nicht hört, so ward Christine der eigenen Gedanken sich nicht bewußt im Tosen, das donnerte

45

in ihrem Gemüte. Unwillkürlich floh sie den Berg hinan, und immer glühender fühlte sie ein Brennen an ihrer Wange, da wo des Grünen Mund sie berührt; sie rieb, sie wusch, aber der Brand nahm nicht ab. 5

Es war eine wilde Nacht. In Lüften und Klüften heulte und toste es, als ob die Geister der Nacht Hochzeit hielten in den schwarzen Wolken, die Winde die wilden Reigen spielten zu ihrem grausen Tanze, die Blitze die Hochzeitfackeln wären und 10 der Donner der Hochzeitsegen. In dieser Jahreszeit hatte man eine solche Nacht noch nie erlebt.

In finsterem Bergestale regte es sich um ein großes Haus, und viele drängten sich um sein schirmend Obdach. Sonst treibt im Gewittersturm die 15 Angst um den eigenen Herd den Landmann unter das eigene Dach, und sorgsam wachend, solange das Gewitter am Himmel steht, wahret und hütet er das eigene Haus. Aber jetzt war die gemeinsame Not größer als die Angst vor dem Gewitter. Diese 20 trieb sie in diesem Hause zusammen, an welchem vorbeigehen mußten die, welche der Sturm aus dem Münneberg trieb, und die, welche von Bärhegen sich geflüchtet. Den Graus der Nacht ob dem eigenen Elend vergessend, hörte man sie klagen und grollen 25 über ihr Mißgeschick. Zu allem Unglück war noch das Toben der Natur gekommen. Pferde und Ochsen waren scheu geworden, betäubt, hatten Wagen zertrümmert, sich über Felsen gestürzt, und schwer verwundet stöhnte mancher in tiefem Schmerze, 30 laut auf schrie mancher, dem man zerrissene Glieder einzog und zusammenband.

In das Elend hinein flüchteten sich auch in schauerlicher Angst die, welche den Grünen gesehen, und erzählten bebend die wiederholte Erscheinung. Bebend hörte die Menge, was die Männer erzählten,
5 drängte sich aus dem weiten, dunkeln Raume dem Feuer zu, um welches die Männer saßen, und wenn der Wind durch die Sparren fuhr oder Donner über dem Hause rollte, so schrie laut auf die Menge und meinte, es breche durchs Dach der Grüne, sich zu
10 zeigen in ihrer Mitte. Als er aber nicht kam, als der Schreck vor ihm verging, als das alte Elend blieb und der Jammer der Leidenden lauter wurde, da stiegen allmählich die Gedanken auf, die den Menschen, der in der Not ist, so gerne um seine Seele
15 bringen. Sie begannen zu rechnen, wieviel mehr wert sie alle seien als ein einzig ungetauft Kind, sie vergaßen immer mehr, daß die Schuld an einer Seele tausendmal schwerer wiege als die Rettung von tausend und abermal tausend Menschenleben.
20 Diese Gedanken wurden allmählich laut und begannen sich zu mischen als verständliche Worte in das Schmerzensgestöhn der Leidenden. Man fragte näher nach dem Grünen, grollte, daß man ihm nicht besser Rede gestanden; genommen hätte er nie
25 mand, und je weniger man ihn fürchte, um so weniger tue er den Menschen. Dem ganzen Tale hätten sie vielleicht helfen können, wenn sie das Herz am rechten Orte gehabt hätten. Da begannen die Männer sich zu entschuldigen. Sie sagten nicht, daß es
30 sich mit dem Teufel nicht spaßen lasse, daß, wer ihm ein Ohr leihe, bald den ganzen Kopf ihm geben müsse, sondern sie redeten von des Grünen schreck-

licher Gestalt, seinem Flammenbarte, der feurigen Feder auf seinem Hute, einem Schloßturme gleich, und dem schrecklichen Schwefelgeruch, den sie nicht hätten ertragen mögen. Christines Mann aber, der gewöhnt worden war, daß sein Wort erst durch die Zustimmung seiner Frau Kraft erhielt, sagte, sie sollten nur seine Frau fragen, die könne ihnen sagen, ob es jemand hätte aushalten mögen; und daß die ein kuraschiertes Weib sei, wüßten alle. Da sahen alle nach Christine sich um, aber keiner sah sie. Es hatte jeder nur an seine Rettung gedacht und an andere nicht, und wie jetzt jeder am trocknen saß, so meinte er, die andern säßen ebenso. Jetzt erst fiel allen bei, daß sie Christine seit jenem schrecklichen Augenblick nicht mehr gesehen, und ins Haus war sie nicht gekommen. Da begann der Mann zu jammern und alle andern mit ihm, denn es ward ihnen allen, als ob Christine allein zu helfen wüßte.

Plötzlich ging die Türe auf, und Christine stand mitten unter ihnen, ihre Haare trieften, rot waren ihre Wangen, und ihre Augen brannten noch dunkler als sonst in unheimlichem Feuer. Eine Teilnahme, deren Christine sonst nicht gewohnt war, empfing sie, und jeder wollte ihr erzählen, was man gedacht und gesagt und wie man Kummer um sie gehabt. Christine sah bald, was alles zu bedeuten hatte, und verbarg ihre innere Glut hinter spöttische Worte, warf den Männern ihre übereilte Flucht vor und wie keiner um ein arm Weib sich bekümmert und keiner sich umgesehen, was der Grüne mit ihr beginne. Da brach der Sturm der Neugierde aus, und

48

jeder wollte zuerst wissen, was nun der Grüne mit ihr angefangen, und die Hintersten hoben sich hochauf, um besser zu hören und die Frau näher zu sehen, die dem Grünen so nahe gestanden. Sie sollte
5 nichts sagen, meinte Christine zuerst, man hätte es nicht um sie verdient, als Fremde sie übel geplaget im Tale, die Weiber ihr einen übeln Namen angehängt, die Männer sie allenthalben im Stiche gelassen, und wenn sie nicht besser gesinnet wäre als alle
10 und wenn sie nicht mehr Mut als alle hätte, so wäre noch jetzt weder Trost noch Ausweg da. So redete Christine noch lange, warf harte Worte gegen die Weiber, die ihr nie hätten glauben wollen, daß der Bodensee größer sei als der Schloßteich, und je mehr
15 man ihr anhielt, um so härter schien sie zu werden und stützte sich besonders darauf, daß, was sie zu sagen hätte, man ihr übel auslegen und, wenn die Sache gut käme, ihr keinen Dank haben werde; käme sie aber übel, so lüde man ihr alle Schuld auf
20 und die ganze Verantwortung.

Als endlich die ganze Versammlung vor Christine wie auf den Knien lag mit Bitten und Flehen und die Verwundeten laut aufschrien und anhielten, da schien Christine zu erweichen und begann zu er
25 zählen, wie sie standgehalten und mit dem Grünen Abrede getroffen; aber von dem Kusse sagte sie nichts, nichts davon, wie er sie auf der Wange gebrannt und wie es ihr getoset im Gemüte. Aber sie erzählte, was sie seither gesinnet im verschlagenen
30 Gemüte. Das Wichtigste sei, daß die Buchen nach Bärhegen geschafft würden; seien die einmal oben, so könne man immer noch sehen, was man machen

wolle, die Hauptsache sei, daß bis dahin, soviel ihr bekannt, unter ihnen kein Kind werde geboren werden.

Vielen lief es kalt den Rücken auf bei der Erzählung, aber daß man dann noch immer sehen könne, was man machen wolle, das gefiel allen wohl.

Nur ein junges Weibchen weinte gar bitterlich, daß man unter seinen Augen die Hände hätte waschen können, aber sagen tat es nichts. Ein alt, ehrwürdig Weib dagegen, hochgestaltet und mit einem Gesichte, vor dem man sonst sich beugen oder vor ihm fliehen mußte, trat in die Mitte und sprach: gottvergessen wäre es gehandelt, auf das Ungewisse das Gewisse stellen und spielen mit dem ewigen Leben. Wer mit dem Bösen sich einlasse, komme vom Bösen nimmer los, und wer ihm den Finger gebe, den behalte er mit Leib und Seele. Aus diesem Elend könne niemand helfen als Gott; wer ihn aber verlasse in der Not, der versinke in der Not. Aber diesmal verachtete man der Alten Rede, und schweigen hieß man das junge Weibchen, mit Weinen und Heulen sei einem diesmal nicht geholfen, da bedürfe man Hülfe anderer Art, hieß es.

Rätig wurde man bald, die Sache zu versuchen. Bös könne das kaum gehen im bösesten Fall; aber nicht das erstemal sei es, daß Menschen die schlimmsten Geister betrogen, und wenn sie selbst nichts wüßten, so fände wohl ein Priester Rat und Ausweg. Aber in finsterm Gemüte soll mancher gedacht haben, wie er später bekannte: gar viel Geld und Umtriebe wage er nicht eines ungetauften Kindes wegen.

Als der Rat nach Christines Sinn gefaßt wurde, da war es, als ob alle Wirbelwinde über dem Hause zusammenstießen, die Heere der wilden Jäger vorübersausten; die Posten des Hauses wankten, die
5 Balken bogen sich, Bäume splitterten am Hause wie Speere auf einer Ritterbrust. Blaß wurden drinnen die Menschen, Grauen überfiel sie, aber den Rat lösten sie nicht; bei grauendem Morgen begannen sie seine Ausführung.

10 Schön und hell war der Morgen, Gewitter und Hexenwerke verschwunden, die Äxte hieben noch einmal so scharf als sonst, der Boden war locker, und jede Buche fiel gerade, wie man sie haben wollte, kein Wagen brach mehr, das Vieh war wil-
15 lig und stark und die Menschen geschützt vor jedem Unfall wie durch unsichtbare Hand.

Nur eines war sonderbar. Unterhalb Sumiswald führte damals noch kein Weg ins hintere Tal; dort war noch Sumpf, den die zügellose Grüne bewäs-
20 serte, man mußte den Stalden auf durchs Dorf fahren an der Kirche vorbei. Sie fuhren wie an den frühern Tagen immer drei Züge auf einmal, um einander helfen zu können mit Rat, Kraft und Vieh, und hatten nun nur durch Sumiswald zu fahren,
25 außerhalb des Dorfes den Kirchstalden ab, an dem eine kleine Kapelle stand; unterhalb desselben auf ebenem Wege hatten sie die Buchen abzulegen. Sobald sie den Stalden auf waren und auf ebenem Wege gegen die Kirche kamen, so ward das Ge-
30 wicht der Wagen nicht leichter, sondern schwerer und schwerer, sie mußten Tiere vorspannen, so viele sie deren hatten, mußten unmenschlich auf sie schla-

gen, mußten selbst Hand an die Speichen legen, dazu scheuten die sanftesten Rosse, als ob etwas Unsichtbares vom Kirchhofe her ihnen im Wege stehe, und ein dumpfer Glockenton, fast wie der verirrte Schall einer fernen Totenglocke, kam von der Kirche her, daß ein eigentümlich Grauen die stärksten Männer ergriff und jedesmal Menschen und Tiere bebten, wenn man gegen die Kirche kam. War man einmal vorbei, so konnte man ruhig fahren, ruhig abladen, ruhig zu frischer Ladung wieder gehen.

Sechs Buchen lud man selbigen Tags nebeneinander ab an die abgeredete Stelle, sechs Buchen waren am folgenden Morgen zu Bärhegen oben gepflanzet, und durchs ganze Tal hin hatte niemand eine Achse gehört, die sich umgedreht um ihre Spule, niemand der Fuhrleute üblich Geschrei, der Pferde Wiehern, der Ochsen einförmig Gebrüll. Aber sechs Buchen standen oben, die konnte sehen, wer wollte, und es waren die sechs Buchen, die man unten an dem Stalden hingelegt hatte, und nicht andere.

Da war das Staunen groß im ganzen Tale, und die Neugierde regte sich bei männiglich. Absonderlich die Ritter nahm es wunder, welche Pacht die Bauren geschlossen und auf welche Weise die Buchen zur Stelle geschafft würden. Sie hätten gerne auf heidnische Weise den Bauren das Geheimnis ausgepreßt. Allein sie sahen bald, daß die Bauren auch nicht alles wüßten, da sie selbst halb erschrocken waren. Zudem wehrte der von Stoffeln. Dem war es nicht nur gleichgültig, wie die Buchen nach Bärhegen kamen, im Gegenteil, wenn nur die Buchen heraufkamen, so sah er gerne, daß die Bauren dabei geschont wurden. Er hatte wohl gesehen, daß der Spott der Ritter ihn zu einer Unbesonnenheit verleitet hatte, denn wenn die Bauren zugrunde gingen, die Felder unbestellt blieben, so hatte die Herrschaft den größten Schaden dabei; allein, was der von Stoffeln einmal gesagt hatte, dabei blieb es. Die Erleichterung, welche die Bauren sich verschafft, war ihm daher ganz recht und ganz gleichgültig, ob sie dafür ihre Seelen verschrieben; denn was gingen ihn der Bauren Seelen an, wenn einmal der Tod ihre Leiber genommen! Er lachte jetzt über seine Ritter und schützte die Bauren vor ihrem Mutwillen. Diese wollten den Handel doch ergründen und sandten Knappen zur Wache; die fand man des Morgens halb tot in Gräben, wohin eine unsichtbare Hand sie geschleudert.

Da zogen zwei Ritter hin auf Bärhegen. Es waren kühne Degen, und wo ein Wagnis zu bestehen gewesen im Heidenland, da hatten sie es bestanden. Am Morgen fand man sie erstarrt am Boden, und als sie der Rede wieder mächtig waren, sagten sie, ein roter Ritter mit feuriger Lanze hätte sie niedergerannt. Hie und da konnte eine neugierige Weibsseele sich nicht enthalten, wenn es Mitternacht war, durch eine Spalte oder Luke nach dem Wege im Tale zu sehen. Alsbald wehete ein giftiger Wind sie an; das Gesicht schwoll auf, wochenlang konnte man weder Nase noch Augen sehen, den Mund mit Mühe finden. Da verging den Leuten das Spähen, und kein Auge sah mehr zu Tale, wenn Mitternacht über demselben lag.

Einmal aber kam plötzlich einen Mann das Sterben an; er bedurfte des letzten Trostes, aber niemand durfte den Priester holen, denn Mitternacht war nahe, und der Weg führte am Kilchstalden vorbei. Da lief ein unschuldig Bübchen, Gott und Menschen lieb, aus Angst um den Vater ungeheißen Sumiswald zu. Als er gegen den Kilchstalden kam, sah er von dort die Buchen auffahren vom Boden, jede von zwei feurigen Eichhörnchen gezogen, und nebenbei sah er reiten auf schwarzem Bocke einen grünen Mann, eine feurige Geißel hatte er in der Hand, einen feurigen Bart im Gesichte, und auf dem Hute schwankte glutrot eine Feder. So sei der Zug gefahren hoch durch die Lüfte über alle Egg weg und schnell wie ein Augenblick. Solches sah der Knabe, und niemand tat ihm was.

Noch waren nicht drei Wochen vergangen, so stunden neunzig Buchen auf Bärhegen, machten einen schönen Schattengang, denn alle schlugen üppig aus, keine einzige verdorrte. Aber die Ritter und auch der von Stoffeln ergingen sich nicht oft darin, es wehte sie allemal ein heimlich Grauen an; sie hätten von der Sache lieber nichts mehr gewußt, aber keiner machte ihr ein Ende, es tröstete ein jeder sich: fehle es, so trage der andere die Schuld.

Den Bauren aber wohlete es mit jeder Buche, welche oben war, denn mit jeder Buche wuchs die Hoffnung, dem Herrn zu genügen, den Grünen zu betrügen; er hatte ja kein Unterpfand, und war die hundertste einmal oben, was frugen sie dann dem Grünen nach? Indessen waren sie der Sache noch nicht sicher; alle Tage fürchteten sie, er spiele ihnen einen Schabernack und lasse sie im Stiche. Am Urbanustage brachten sie ihm die letzten Buchen an den Kilchstalden, und alt und jung schlief wenig in selber Nacht; man konnte fast nicht glauben, daß er ohne Umstände und ohne Kind oder Pfand die Arbeit vollende.

Am folgenden Morgen lange vor der Sonne waren alt und jung auf den Beinen, in allen regte sich die gleiche neugierige Angst; aber lange wagte sich keiner auf den Platz, wo die Buchen lagen; man wußte nicht, lag dort eine Beize für die, welche den Grünen betrügen wollten.

Ein wilder Küherbub, der Zieger von der Alp gebracht, wagte es endlich, sprang voran und fand keine Buchen mehr, und keine Hinterlist tat auf dem Platze sich kund. Noch trauten sie dem Spiele nicht; ihnen vorauf mußte der Küherbub nach Bärhegen. Dort war alles in der Ordnung, hundert Buchen standen in Reih und Glied, keine war verdorret, keinem aus ihnen lief das Gesicht auf, keinem tat ein Glied weh. Da stieg der Jubel hoch in ihren Herzen, und viel Spott gegen die Grünen und gegen die Ritter floß. Zum drittenmal sandten sie aus den wilden Küherbub und ließen dem von Stoffeln sagen, es sei auf Bärhegen nun alles in der Ordnung, er möchte kommen und die Buchen zählen. Dem aber ward es graulicht, und er ließ ihnen sagen, sie sollten machen, daß sie heimkämen. Gerne hätte er ihnen sagen lassen, sie sollten den ganzen Schattengang wieder wegschaffen, aber er tat es nicht seiner Ritter wegen, es sollte nicht heißen, er fürchte sich; aber er wußte nicht um der

Bauren Pacht und wer sich in den Handel mischen könnte.

Als der Kühersbub den Bescheid brachte, da schwollen die Herzen noch trotziger auf; die wilde Jugend tanzte im Schattengange, wildes Jodeln hallte von Kluft zu Kluft, von Berg zu Berg, hallte an den Mauren des Schlosses Sumiswald wider. Bedächtige Alte warnten und baten, aber trotzige Herzen achten bedächtiger Alten Warnung nicht; wenn dann das Unglück da ist, so sollen es die Alten mit ihrem Zagen und Warnen herbeigezogen haben. Die Zeit ist noch nicht da, wo man es erkennt, daß der Trotz das Unglück aus dem Boden stampft. Der Jubel zog sich über Berg und Tal in alle Häuser, und wo noch eines Fingers lang Fleisch im Rauche hing, da ward es gekocht, und wo noch eine Handgroß Butter im Hafen war, da wurde geküchelt.

Das Fleisch ward gegessen, die Küchli schwanden, der Tag war verronnen, und ein anderer Tag stieg am Himmel auf. Immer näher kam der Tag, an welchem ein Weib ein Kind gebären sollte; und, je näher der Tag kam, um so dringlicher kam die Angst wieder: der Grüne werde sich wieder künden, fordern, was ihm gehöre, oder ihnen eine Beize legen.

Den Jammer jenes jungen Weibes, welches das Kind gebären sollte, wer will ihn ermessen? Im ganzen Hause tönte er wider, ergriff nach und nach alle Glieder des Hauses, und Rat wußte niemand, wohl aber, daß dem, mit dem man sich eingelassen, nicht zu trauen sei. Je näher die verhängnisvolle Stunde kam, um so näher drängte das arme Weibchen sich zu Gott, umklammerte nicht mit den Armen allein, sondern mit dem Leibe und der Seele und aus ganzem Gemüte die heilige Mutter, bittend um Schutz um ihres gebenedeiten Sohnes willen. Und ihr ward immer klarer, daß im Leben und Sterben in jeder Not der größte Trost bei Gott sei, denn, wo der sei, da dürfe der Böse nicht sein und hätte keine Macht.

Immer deutlicher trat der Glaube vor dessen Seele, daß, wenn ein Priester des Herren mit dem Allerheiligsten, dem heiligen Leibe des Erlösers, bei der Geburt zugegen wäre und bewaffnet mit kräftigen Bannsprüchen, so dürfte kein böser Geist sich nahen, und alsobald könnte der Priester das neugeborne Kind mit dem Sakramente der Taufe versehen, was die damalige Sitte erlaubte; dann wäre das arme Kind der Gefahr für immer entrissen, welche die Vermessenheit der Väter über ihns gebracht. Dieser Glaube stieg auch bei den andern auf, und der Jammer des jungen Weibes ging ihnen zu Herzen, aber sie scheuten sich, dem Priester ihre Pacht mit dem Satan zu bekennen, und niemand war seither zur Beichte gegangen, und niemand hatte ihm Rede gestanden. Es war ein gar frommer Mann, selbst die Ritter des Schlosses trieben keinen Kurzweil mit ihm, er aber sagte ihnen die Wahrheit. Wenn einmal die Sache getan sei, so könne er sie nicht mehr hindern, hatten die Bauren gedacht; aber jetzt war doch niemand gerne der erste, der es ihm sagte, das Gewissen sagte ihnen wohl, warum.

Endlich drang einem Weibe der Jammer zu Herzen; es lief hin und offenbarte dem Priester den Handel und des armen Weibes Wunsch. Gewaltig entsetzte sich der fromme Mann, aber mit leeren Worten verlor er die Zeit nicht; kühn trat er für eine arme Seele in den Kampf mit dem gewaltigen Widersacher. Er war einer von denen, die den härtesten Kampf nicht scheuen, weil sie gekrönt werden wollen mit der Krone des ewigen Lebens und weil sie wohl wissen, es werde keiner gekrönet, er kämpfe dann recht.

Ums Haus, in welchem das Weib ihrer Stunde harrte, zog er den heiligen Bann mit geweihtem Wasser, den böse Geister nicht überschreiten dürfen, segnete die Schwelle ein, die ganze Stube, und ruhig gebar das Weib, und ungestört taufte der Priester das Kind. Ruhig blieb es auch draußen, am klaren Himmel flimmerten die hellen Sterne, leise Lüfte spielten in den Bäumen. Ein wiehernd Gelächter wollten die einen gehört haben von ferne her; die andern aber meinten, es seien nur die Käuzlein gewesen an des Waldes Saum.

Alle, die da waren, aber freuten sich höchlich, und alle Angst war verschwunden, auf immer, wie sie meinten; hatten sie den Grünen einmal angeführt, so konnten sie es immer tun mit dem gleichen Mittel.

Ein großes Mahl ward zugerichtet, weither wurden die Gäste entboten. Umsonst mahnte der Priester des Herrn von Schmaus und Jubel ab, mahnte, zu zagen und zu beten, denn noch sei der Feind nicht besiegt, Gott nicht gesühnt. Es sei ihm im Geiste, als dürfe er ihnen keine Buße zur Sühnung auferlegen, als nahe sich eine Buße gewaltig und schwer aus Gottes selbsteigener Hand. Aber sie hörten ihn nicht, wollten ihn befriedigen mit Speise und Trank.

Er aber ging betrübt weg, bat für die, welche nicht wüßten, was sie täten, und rüstete sich, mit Beten und Fasten zu kämpfen als ein getreuer Hirt für die anvertraute Herde.

Mitten unter den Jubilierenden ist auch Christine gesessen, aber sonderbar stille mit glühenden Wangen, düstern Augen, seltsam sah man es zucken in ihrem Gesichte. Christine war bei der Geburt zugegen gewesen als erfahrne Wehmutter, war bei der plötzlichen Taufe zu Gevatter gestanden mit frechem Herzen ohne Furcht, aber wie der Priester das Wasser sprengte über das Kind und es taufte in den drei höchsten Namen, da war es ihr, als drücke man ihr plötzlich ein feurig Eisen auf die Stelle, wo sie des Grünen Kuß empfangen. In jähem Schrecken war sie zusammengezuckt, das Kind fast zur Erde gefallen, und seither hatte der Schmerz nicht abgenommen, sondern ward glühender von Stunde zu Stunde. Anfangs war sie stillegesessen, hatte den Schmerz erdrückt und heimlich die schweren Gedanken gewälzet in ihrer erwachten Seele, aber immer häufiger fuhr sie mit der Hand nach dem brennenden Fleck, auf dem ihr eine giftige Wespe zu sitzen schien, die ihr einen glühenden Stachel bohre bis ins Mark hinein. Als keine Wespe zu verjagen war, die Stiche immer heißer wurden, die Gedanken immer schrecklicher, da begann Christine ihre Wange zu zeigen, zu fragen, was darauf zu sehen sei, und immer von neuem frug Christine, aber niemand sah etwas, und bald mochte niemand mehr mit dem Spähen auf den Wangen die Lust sich verkürzen. Endlich konnte sie noch ein alt Weib erbitten; eben krähte der Hahn, der Morgen graute, da sah die Alte auf Christines Wange einen fast unsichtbaren Fleck. Es sei nichts, sagte die, das werde schon vergehn, und ging weiter.

Und Christine wollte sich trösten, es sei nichts und werde bald vergehn; aber die Pein nahm nicht ab, und unmerklich wuchs der kleine Punkt, und alle sahen ihn und frugen sie, was es da Schwarzes gebe in ihrem Gesichte? Sie dachten nichts Besonders, aber die Reden fuhren ihr wie Stiche ins Herz, weckten die schweren Gedanken wieder auf, und immer und immer mußte sie denken, daß auf den gleichen Fleck der Grüne sie geküßt und daß die gleiche Glut, die damals wie ein Blitz durch ihr Gebein gefahren, jetzt bleibend in demselben brenne und zehre. So wich der Schlaf von ihr, das Essen schmeckte ihr wie Feuerbrand, unstet lief sie hiehin, dorthin, suchte Trost und fand keinen, denn der Schmerz wuchs immer noch, und der schwarze Punkt ward größer und schwärzer, einzelne dunkle Streifen liefen von ihm aus, und nach dem Munde hin schien sich auf dem runden Flecke ein Höcker zu pflanzen.

So litt und lief Christine manchen langen Tag und manche lange Nacht und hatte keinem Menschen die Angst ihres Herzens geoffenbaret und was sie vom Grünen auf diese Stelle erhalten; aber wenn sie gewußt hätte, auf welche Weise sie dieser Pein loswerden könnte, sie hätte alles im Himmel und auf Erden geopfert. Sie war von Natur ein vermessen Weib, jetzt aber erwildet in wütendem Schmerze.

Da geschah es, daß wiederum ein Weib ein Kind erwartete. Diesmal war die Angst nicht groß, die Leute wohlgemut; sobald sie zu rechter Zeit für den Priester sorgten, meinten sie, des Grünen spotten zu können. Nur Christine war es nicht so. Je näher der Tag der Geburt kam, desto schrecklicher ward der Brand auf ihrer Wange, desto mächtiger dehnte der schwarze Punkt sich aus, deutliche Beine streckte er von sich aus, kurze Haare trieb er empor, glänzende Punkte und Streifen erschienen auf seinem Rücken, und zum Kopfe ward der Höcker, und glänzend und giftig blitzte es aus demselben wie aus zwei Augen hervor. Laut auf schrien alle, wenn sie die giftige Kreuzspinne sahen auf Christines Gesicht, und voll Angst und Grauen flohen sie, wenn sie sahen, wie sie fest saß im Gesichte und aus demselben herausgewachsen. Allerlei redeten die Leute, der eine riet dies, der andere ein anderes, aber alle mochten Christine gönnen, was es auch sein mochte, und alle wichen ihr aus und flohen sie, wo es nur möglich war. Je mehr die Leute flohen, desto mehr trieb es Christine ihnen nach, sie fuhr von Haus zu Haus; sie fühlte wohl, der Teufel mahne sie an das verheißne Kind; und um das Opfer den Leuten einzureden mit unumwundenen Worten, fuhr sie ihnen nach in Höllenangst. Aber das kümmerte die andern wenig; was Christine peinigte, tat ihnen nicht weh, was sie litt, hatte nach ihrer Meinung sie verschuldet, und wenn sie ihr nicht mehr entrinnen konnten, so sagten sie zu ihr: ›Da siehe du zu! Keiner hat ein Kind verheißen, darum gibt auch keiner eins.‹ Mit wütender Rede setzte sie dem eigenen Manne zu. Dieser floh wie die andern, und wenn er nicht mehr fliehen konnte, so sprach er Christine kaltblütig zu, das werde schon bessern, das sei ein Malzeichen, wie gar viele Menschen deren hätten; wenn es einmal ausgewachsen sei, so höre der Schmerz auf und leicht sei es dann abzubinden.

Unterdessen aber hörte der Schmerz nicht auf, jedes Bein war ein Höllenbrand, der Spinne Leib die Hölle selbst, und als des Weibes erwartete Stunde kam, da war es Christine, als umwalle sie ein Feuermeer, als wühlten feurige Messer in ihrem Mark, als führen feurige Wirbelwinde durch ihr Gehirn. Die Spinne aber schwoll an, bäumte sich auf, und zwischen den kurzen Borsten hervor quollen giftig ihre Augen. Als Christine in ihrer glühenden Pein nirgends Teilnahme, die Kreißende wohl bewacht fand, da stürzte sie einer Wirbelsinnigen gleich den Weg entlang, den der Priester kommen mußte.

Raschen Schrittes kam derselbe der Halde entlang, begleitet vom handfesten Sigrist; die heiße Sonne und der steile Weg hemmten die Schritte nicht, denn es galt, eine Seele zu retten, ein unendlich Unglück zu wenden, und von entferntem Kranken kommend, bangte dem Priester vor schrecklicher Säumnis. Verzweifelnd warf Christine sich ihm in den Weg, umfaßte seine Knie, bat um Lösung aus ihrer Hölle, um das Opfer des Kindes, das noch kein Leben kenne, und die Spinne schwoll noch höher auf, funkelte schrecklich schwarz in Christines rot angelaufenem Gesichte, und mit gräßlichen Blicken glotzte sie nach des Priesters heiligen Geräten

und Zeichen. Dieser aber schob Christine rasch zur
Seite und schlug das heilige Zeichen; er sah da den
Feind wohl, aber er ließ den Kampf, um eine Seele
zu retten. Christine aber fuhr auf, stürmte ihm nach
und versuchte das Äußerste; doch des Sigristen starke Hand hielt das wütend Weib vom Priester ab,
und zur Zeit noch konnte er das Haus schützen, in
geweihte Hände das Kind empfangen und in die
Hände dessen legen, den die Hölle nie überwältigt.

Draußen hatte unterdessen Christine einen schrecklichen Kampf gekämpft. Sie wollte das Kind ungetauft in ihre Hände, wollte hinein ins Haus, aber
starke Männer wehrten es. Windstöße stießen an
das Haus, der fahle Blitz umzüngelte es, aber die
Hand des Herrn war über ihm; es wurde das Kind
getauft, und Christine umkreiste vergeblich und
machtlos das Haus. Von immer wilderer Höllen-
qual ergriffen, stieß sie Töne aus, die nicht Tönen
glichen aus einer Menschenbrust; das Vieh schlotterte in den Ställen und riß von den Stricken, die
Eichen im Walde rauschten auf, sich entsetzend.

Im Hause begann der Jubel über den neuen Sieg,
des Grünen Ohnmacht, seiner Helfershelferin vergeblich Ringen; draußen aber lag Christine, von
entsetzlicher Pein zu Boden geworfen, und in ihrem
Gesichte begannen Wehen zu kreißen, wie sie noch
keine Wöchnerin erfahren auf Erden, und die Spinne
im Gesichte schwoll immer höher auf und brannte
immer glühender durch ihr Gebein.

Da war es Christine, als ob plötzlich das Gesicht
ihr platze, als ob glühende Kohlen geboren würden
in demselben, lebendig würden, ihr gramselten über

das Gesicht weg, über alle Glieder weg, als ob alles an ihm lebendig würde und glühend gramsle über den ganzen Leib weg. Da sah sie in des Blitzes fahlem Scheine langbeinig, giftig, unzählbar schwarze Spinnchen laufen über ihre Glieder, hinaus in die Nacht, und den Entschwundenen liefen langbeinig, giftig, unzählbar andere nach. Endlich sah sie keine mehr den frühern folgen, der Brand im Gesichte legte sich, die Spinne ließ sich nieder, ward zum fast unsichtbaren Punkte wieder, schaute mit erlöschenden Augen ihrer Höllenbrut nach, die sie geboren hatte und ausgesandt zum Zeichen, wie der Grüne mit sich spaßen lasse.

Matt, einer Wöchnerin gleich, schlich Christine nach Hause; wenn schon die Glut so heiß nicht mehr brannte auf dem Gesicht, die Glut im Herzen hatte nicht abgenommen, wenn schon die matten Glieder nach Ruhe sich sehnten, der Grüne ließ ihr keine Ruhe mehr; wen er einmal hat, dem macht er es so.

Drinnen im Hause aber, da jubelten sie und freuten sich und hörten lange nicht, wie das Vieh brüllte und tobte im Stalle. Endlich fuhren sie doch auf, man ging, nachzusehen, schreckensblaß kamen die wieder, die gegangen waren, und brachten die Kunde, die schönste Kuh liege tot, die übrigen tobten und wüteten, wie sie es nie gesehen. Da sei es nicht richtig, etwas Absonderliches walte da. Da verstummte der Jubel, alles lief nach dem Vieh, dessen Gebrüll erscholl über Berg und Tal, aber keiner hatte Rat. Gegen den Zauber versuchte man weltliche und geistliche Künste, aber alle umsonst; ehe noch der Tag graute, hatte der Tod das sämtliche

Vieh im Stalle gestreckt. Wie es aber hier stumm wurde, so begann es hier zu brüllen und dort zu brüllen; die da waren, hörten, wie in ihre Ställe die Not gebrochen, wehlich das Vieh seine Meister zu
5 Hülfe rief in seiner grausen Angst.

Als ob die Flamme aus ihrem Dache schlüge, eilten sie heim, aber Hülfe brachten sie keine; hier wie dort streckte der Tod das Vieh, Wehgeschrei von Menschen und Tieren erfüllte Berge und Täler, und
10 die Sonne, welche das Tal so fröhlich verlassen, sah in entsetzlichen Jammer hinein. Als die Sonne schien, sahen endlich die Menschen, wie es in den Ställen, in denen das Vieh gefallen war, wimmle von zahllosen schwarzen Spinnen. Diese krochen
15 über das Vieh, das Futter, und was sie berührten, war vergiftet, und was lebendig war, begann zu toben, ward bald vom Tode gestreckt. Von diesen Spinnen konnte man keinen Stall, in dem sie waren, säubern, es war, als wüchsen sie aus dem Boden
20 herauf, konnte keinen Stall, in dem sie noch nicht waren, vor ihnen behüten, unversehens krochen sie aus allen Wänden, fielen haufenweise von der Diele. Man trieb das Vieh auf die Weiden, man trieb es nur dem Tode in den Rachen. Denn, wie eine Kuh
25 auf eine Weide den Fuß setzte, so begann es lebendig zu werden am Boden, schwarze, langbeinige Spinnen sproßten auf, schreckliche Alpenblumen, krochen auf am Vieh, und ein fürchterlich wehlich Geschrei erscholl von den Bergen nieder zu Tale.
30 Und alle diese Spinnen sahen der Spinne auf Christines Gesicht ähnlich wie Kinder der Mutter, und solche hatte man noch keine gesehen.

Das Geschrei der armen Tiere war auch zum Schlosse gedrungen, und bald kamen ihm auch Hirten nach, verkündend, daß ihr Vieh gefallen von den giftigen Tieren, und in immer höherem Zorne vernahm der von Stoffeln, wie Herde um Herde verlorengegangen, vernahm, welchen Pacht man mit dem Grünen gehabt, wie man ihn zum zweiten Male betrogen und wie die Spinnen ähnlich seien, wie Kinder der Mutter, der Spinne in der Lindauerin Gesicht, die mit dem Grünen den Bund gemacht alleine und nie rechten Bericht darüber gegeben. Da ritt der von Stoffeln in grimmem Zorn den Berg hinauf und donnerte die Armen an, daß er nicht um ihretwillen Herde und Herde verlieren wolle; was er geschädigt worden, müßten sie ersetzen, und was sie versprochen, das müßten sie halten, was sie freiwillig getan, das müßten sie tragen. Schaden leiden ihretwegen wolle er nicht, oder leide er, so müßten sie ihn büßen tausendfältig. Sie könnten sich vorsehen. So redete er zu ihnen, unbekümmert um das, was er ihnen zumutete; und daß er sie dazu getrieben, fiel ihm nicht bei, nur was sie getan, rechnete er ihnen zu.

Den meisten schon war es aufgedämmert, daß die Spinnen eine Plage des Bösen seien, eine Mahnung, den Pacht zu halten, und daß Christine Näheres darum wissen müßte, ihnen nicht alles gesagt hätte, was sie mit dem Grünen verhandelt. Nun zitterten sie wieder vor dem Grünen, lachten seiner nicht mehr, zitterten vor ihrem weltlichen Herrn; wenn sie diese befriedigten, was sagte der geistliche Herr dazu, erlaubte er es, und hätte dann der keine Buße für sie? So in der Angst versammelten sich die Angesehensten in einsamer Scheuer, und Christine mußte kommen und klaren Bescheid geben, was sie eigentlich verhandelt.

Christine kam, verwildert, rachedurstig, aufs neue von der wachsenden Spinne gefoltert.

Als sie das Zagen der Männer sah und keine Weiber, da erzählte sie punktum, was ihr begegnet: wie der Grüne sie schnell beim Worte genommen und ihr zum Pfande einen Kuß gegeben, den sie nicht mehr geachtet als andere; wie ihr jetzt auf selbigem Fleck die Spinne gewachsen sei unter Höllenpein vom Augenblick an, als man das erste Kind getauft; wie die Spinne, eben als man das zweite Kind getauft und den Grünen genarrt, unter Höllenwehen die Spinnen geboren in ungemeßner Zahl; denn narren lasse er sich nicht ungestraft, wie sie es fühle in tausendfachen Todesschmerzen. Jetzt wachse die Spinne wieder, die Pein mehre sich, und wenn das nächste Kind nicht des Grünen werde, so wisse niemand, wie gräßlich die einbrechende Plage sei, wie gräßlich des Ritters Rache.

So erzählte Christine, und die Herzen der Männer bebten, und lange wollte keiner reden. Nach und nach kamen aus den angstgepreßten Kehlen abgebrochene Laute hervor, und wenn man sie zusammensetzte, so meinten sie gerade, was Christine meinte, aber kein einzelner hatte seine Einwilligung gegeben in ihren Rat. Nur einer stund auf und redete kurz und deutlich: das Beste schiene ihm, Christine totzuschlagen, sei einmal die tot, so könnte der Grüne an der Toten sich halten, hätte keine Handhabe mehr an den Lebendigen. Da lachte Christine wild auf, trat ihm unter das Gesicht und sagte: er solle zuschlagen, ihr sei es recht, aber der Grüne wolle nicht sie, sondern ein ungetauft Kind, und wie er sie gezeichnet, ebensogut könne er die Hand zeichnen, die an ihr sich vergreife. Da zuckte es in des Mannes Hand, der allein geredet, er setzte sich und hörte schweigend dem Rate der andern. Und abgebrochen, wo keiner alles sagte, sondern jeder nur etwas, das wenig bedeuten sollte, kam man überein, das nächste Kind zu opfern, aber keiner wollte seine Hand bieten dazu, niemand das Kind an den Kilchstalden tragen, wo man die Buchen hingelegt hatte. Zum allgemeinen Besten, wie sie meinten, den Teufel zu brauchen, hatte keiner sich gescheut, aber persönliche Bekanntschaft mit ihm zu machen, begehrte keiner. Da erbot sich Christine willig dazu, denn hatte man einmal mit dem Teufel zu tun gehabt, so konnte es das zweitemal wenig mehr schaden. Man wußte wohl, wer das nächste Kind gebären sollte, aber man redete nichts davon, und der Vater desselben war nicht zugegen. Verständigt mit und ohne Worte, ging man auseinander.

Das junge Weib, welches in jener grauenvollen Nacht, wo Christine Bericht vom Grünen brachte, gezaget und geweinet hatte, es wußte damals nicht, warum, erwartete nun das nächste Kind. Die frühern Vorgänge machten es nicht getrost und zuversichtlich, eine unnennbare Angst lag auf seinem Herzen, es konnte sie weder mit Beten noch Beichten wegbringen. Ein verdächtiges Schweigen schien ihm ihns zu umringen, niemand sprach von der Spinne mehr, verdächtig schienen ihm alle Augen, die auf ihm ruhten, schienen ihm zu berechnen die Stunde, in welcher sie seines Kindes habhaft werden, den Teufel versöhnen könnten.

5 So einsam und verlassen fühlte es sich gegen die unheimliche Macht um sich; keinen Beistand hatte es als seine Schwiegermutter, eine fromme Frau, die zu ihm stund, aber was vermag eine alte Frau gegen eine wilde Menge? Es hatte seinen Mann, der hatte
10 alles Gute wohl versprochen; aber wie jammerte der um sein Vieh und gedachte so wenig des armen Weibes Angst! Es hatte der Priester verheißen zu kommen, so schnell und so früh zu kommen, als man ihn verlange, aber was konnte begegnen vom
15 Augenblicke an, da man gesandt, bis daß er kam; und das arme Weib hatte keinen zuverlässigen Boten als den eigenen Mann, der ihm Schutz und Wache sein sollte, und das arme Weibchen wohnte dazu noch mit Christine in einem Hause, und ihre Män-
20 ner waren Brüder, und keine eigenen Verwandte hatte es, als Waise war es ins Haus gekommen! Man kann sich des armen Weibes Herzensangst denken, nur im Beten mit der frommen Mutter fand es einiges Vertrauen, das alsobald wieder schwand, so-
25 bald es in die bösen Augen sah.

Unterdessen war die Krankheit noch immer da, sie unterhielt den Schrecken. Freilich, nur hie und da fiel ein Stück, zeigten die Spinnen sich. Aber sobald bei jemand der Schreck nachließ, sobald ir-
30 gendeiner dachte oder sagte: das Übel lasse von selbsten nach, und man sollte sich wohl bedenken, ehe man an einem Kinde sich versündige, so flammte

auf Christines Höllenpein, die Spinne blähte sich hochauf, und dem, der so gedacht oder geredet, kehrte mit neuer Wut der Tod in seine Herde ein. Ja, je näher die erwartete Stunde kam, um so mehr schien die Not wieder zuzunehmen, und sie erkannten, daß sie bestimmte Abrede treffen müßten, wie sie des Kindes sicher und sonder Fehl sich bemächtigen könnten. Den Mann fürchteten sie am meisten, und Gewalt gegen ihn zu brauchen war ihnen zuwider. Da übernahm Christine, ihn zu gewinnen, und sie gewann ihn. Er wollte um die Sache nicht wissen, wollte seinem Weibe zu Willen sein, den Priester holen, aber nicht eilen, und was in seiner Abwesenheit vorgehe, darnach wolle er nicht fragen; so fand er sich mit seinem Gewissen ab, mit Gott wollte er sich durch Messen abfinden, und für des armen Kindes Seele sei vielleicht auch noch etwas zu tun, dachte er, vielleicht gewinne der fromme Priester es dem Teufel wieder ab, dann seien sie aus dem Handel, hätten das Ihre getan und den Bösen doch geprellt. So dachte der Mann, und jedenfalls, es möge nun gehen, wie es wolle, so hätte er an der ganzen Sache keine Schuld, sobald er nicht mit selbsteigenen Händen dabei tätig sei.

So war das arme Weibchen verkauft und wußte es nicht, hoffte mit Bangen nach Rettung; und beschlossen im Rate der Menschen war der Stoß in sein Herz; aber was der droben beschlossen hatte, das deckten noch die Wolken, die vor der Zukunft liegen.

Es war ein gewitterhaftes Jahr und die Ernte gekommen; alle Kräfte wurden angespannt, um in

den heitern Stunden das Korn unter das sichere
Dach zu bringen. Es war ein heißer Nachmittag gekommen, schwarze Häupter streckten die Wolken
über die dunklen Berge empor, ängstlich ums Dach
flatterten die Schwalben, und dem armen Weibchen
ward so eng und bang allein im Hause, denn selbst
die Großmutter war draußen auf dem Acker, zu
helfen mit dem Willen mehr als mit der Tat. Da
zuckte zweischneidend der Schmerz ihm durch Mark
und Bein, es dunkelte vor seinen Augen, es fühlte
das Nahen seiner Stunde und war allein. Die Angst
trieb es aus dem Hause, schwerfällig schritt es dem
Acker zu, aber bald mußte es sich niedersetzen; es
wollte in die Ferne die Stimme schicken, aber diese
wollte nicht aus der beklemmten Brust. Bei ihm
war ein klein Bübchen, das erst seine Beinchen brauchen lernte, das nie noch auf eigenen Beinen auf
dem Acker gewesen war, sondern nur auf der Mutter Arm. Dieses Bübchen mußte das arme Weib als
seinen Boten brauchen, wußte nicht, ob es den Acker
finden, ob seine Beinchen dahin ihns tragen würden. Aber das treue Bübchen sah, in welcher Angst
die Mutter war, und lief und fiel und stand wieder
auf, und die Katze jagte sein Kaninchen, Tauben
und Hühner liefen ihm um die Füße, stoßend und
spielend sprang sein Lamm ihm nach, aber das Bübchen sah alles nicht, ließ sich nicht säumen und rich-
tete treulich seine Botschaft aus.

Atemlos erschien die Großmutter, aber der Mann
säumte; nur das Fuder solle er noch ausladen, hieß
es. Eine Ewigkeit verstrich, endlich kam er, und
wiederum verstrich eine Ewigkeit, endlich ging er

langsam auf den langen Weg, und in Todesangst fühlte das arme Weib, wie seine Stunde schneller und schneller nahte.

Frohlockend hatte Christine draußen auf dem Acker allem zugesehen. Heiß brannte wohl die Sonne zu der schweren Arbeit, aber die Spinne brannte fast gar nicht mehr, und leicht schien ihr der Gang in den nächsten Stunden. Sie trieb fröhlich die Arbeit und eilte mit dem Heimgehn nicht, wußte sie doch, wie langsam der Bote war. Erst als die letzte Garbe geladen war und Windstöße das nahende Gewitter verkündeten, eilte Christine ihrer Beute zu, die ihr gesichert war; so meinte sie. Und als sie heimging, da winkte sie bedeutungsvoll manchem Begegnenden, sie nickten ihr zu, trugen rasch die Botschaft heim; da schlotterte manches Knie, und manche Seele wollte beten in unwillkürlicher Angst, aber sie konnte nicht.

Drinnen im Stübchen wimmerte das arme Weib, und zu Ewigkeiten wurden die Minuten, und die Großmutter vermochte den Jammer nicht zu stillen mit Beten und Trösten. Sie hatte das Stübchen wohl verschlossen und schweres Geräte vor die Türe gestellt. Solange sie alleine im Hause waren, war es noch dabeizusein, aber als sie Christine heimkommen sahen, als sie ihren schleichenden Tritt an der Türe hörten, als sie draußen noch manch andern Tritt hörten und heimliches Flüstern, kein Priester sich zeigte, kein anderer treuer Mensch und näher und näher der sonst so ersehnte Augenblick trat, da kann man sich denken, in welcher Angst die armen Weiber schwammen wie in siedendem Öle, ohne

72

Hülfe und ohne Hoffnung. Sie hörten, wie Christine nicht von der Türe wich; es fühlte das arme Weib seiner wilden Schwägerin feurige Augen durch die Türe hindurch, und sie brannten es durch Leib und Seele. Da wimmerte das erste Lebenszeichen eines Kindes durch die Türe, unterdrückt so schnell als möglich, aber zu spät. Die Türe flog auf von wütendem, vorbereiteten Stoße, und wie auf seinen Raub der Tiger stürzt, stürzt Christine auf die arme Wöcherin. Die alte Frau, die dem Sturm sich entgegenwirft, fällt nieder, in heiliger Mutterangst rafft die Wöcherin sich auf, aber der schwache Leib bricht zusammen, in Christines Händen ist das Kind; ein gräßlicher Schrei bricht aus dem Herzen der Mutter, dann hüllt sie in schwarzen Schatten die Ohnmacht.

Zagen und Grauen ergriff die Männer, als Christine mit dem geraubten Kinde herauskam. Das Ahnen einer grausen Zukunft ging ihnen auf, aber keiner hatte Mut, die Tat zu hemmen, und die Furcht vor des Teufels Plagen war stärker als die Furcht vor Gott. Nur Christine zagte nicht, glühend leuchtete ihr Gesicht, wie es dem Sieger leuchtet nach überstandenem Kampfe, es war ihr, als ob die Spinne in sanftem Jucken ihr liebkose; die Blitze, die auf ihrem Wege zum Kilchstalden sie umzüngelten, schienen ihr fröhliche Lichter, der Donner ein zärtlich Grollen, ein lieblich Säuseln der racheschnaubende Sturm.

Hans, des armen Weibes Mann, hatte sein Versprechen nur zu gut gehalten. Langsam war er seines Weges gegangen, hatte bedächtig jeden Acker beschauet, jedem Vogel nachgesehen, den Fischen im Bache abgewartet, wie sie sprangen und Mücken fingen vor dem einbrechenden Gewitter. Dann juckte er vorwärts, rasche Schritte tat er, einen Ansatz zum Springen nahm er; es war etwas in ihm, das ihn trieb, das ihm die Haare auf dem Kopfe emportrieb: es war das Gewissen, das ihm sagte, was ein Vater verdiene, der Weib und Kind verrate, es war die Liebe, die er doch noch hatte zu seinem Weibe und seiner Leibesfrucht. Aber dann hielt ihn wieder ein anderes, und das war stärker als das erste, es war die Furcht vor den Menschen, die Furcht vor dem Teufel und die Liebe zu dem, was dieser ihm nehmen konnte. Dann ging er wieder langsamer, langsam wie ein Mensch, der seinen letzten Gang tut, der zu seiner Richtstätte geht. Vielleicht war es auch so, weiß doch gar mancher Mensch nicht, daß er den letzten Gang tut; wenn er es wüßte, er täte ihn nicht oder anders.

So war es spät geworden, ehe er auf Sumiswald kam. Schwarze Wolken jagten über den Münneberg her, schwere Tropfen fielen, versengten im Staube, und dumpf begann das Glöcklein im Turme die Menschen zu mahnen, daß sie denken möchten an Gott und ihn bitten, daß er sein Gewitter nicht zum Gerichte werden lasse über sie. Vor seinem Hause stand der Priester, zu jeglichem Gange gerüstet, damit er bereit sei, wenn sein Herr, der über seinem Haupte daherfuhr, zu einem Sterbenden oder einem brennenden Hause oder sonstwohin ihn rufe. Als er Hans kommen sah, erkannte er den Ruf zum schweren Gange, schürzte sein Gewand und sandte Bot-

schaft seinem läutenden Sigrist, daß er sich ablösen
lasse am Glockenstrang und sich einfinde zu seinem
Begleit. Unterdessen stellte er Hans einen Labe-
trunk vor, so wohltätig nach raschem Laufe in
5 schwüler Luft, dessen Hans nicht bedürftig war,
aber der Priester ahnte die Tücke des Menschen
nicht. Bedächtig labte sich Hans. Zögernd fand der
Sigrist sich ein und nahm gerne teil an dem Tranke,
den Hans ihm bot. Gerüstet stand vor ihnen der
10 Priester, verschmähend jeden Trank, den er zu solchem Gang und Kampf nicht bedurfte. Er hieß ungerne von der Kanne weggehen, die er aufgestellt,
ungerne verletzte er die Rechte des Gastes, aber er
kannte ein Recht, das höher war als das Gastrecht,
15 das säumige Trinken fuhr ihm zornig durch die
Glieder.

Er sei fertig, sagte er endlich, ein bekümmert Weib
harre, und über ihm sei eine grauenvolle Untat, und
zwischen das Weib und die Untat müßte er stehn
20 mit heiligen Waffen, darum sollten sie nicht säumen, sondern kommen, droben werde wohl noch
etwas sein für den, der den Durst hier unten nicht
gelöscht. Da sprach Hans, des harrenden Weibes
Mann, es eile nicht so sehr, bei seinem Weibe gehe
25 jede Sache schwer. Und alsobald flammte ein Blitz
in die Stube, daß alle geblendet waren, und ein
Donner brach los überm Hause, daß jeder Posten
am Haus, jedes Glied im Hause bebte. Da sprach
der Sigrist, als er seinen Segenspruch vollendet:
30 ›Hört, wie es macht draußen, und der Himmel hat
selbst bestätigt, was Hans gesagt, daß wir warten
sollen, und was nützte es, wenn wir gingen, leben-

dig kämen wir doch nimmer hinauf, und er selbst
hat ja gesagt, daß es bei seinem Weibe nicht solche
Eile habe.‹

Und allerdings stürmte ein Gewitter daher, wie
man in Menschengedenken nicht oft erlebt. Aus allen Schlünden und Gründen stürmte es heran,
stürmte von allen Seiten, von allen Winden getrieben über Sumiswald zusammen, und jede Wolke
ward zum Kriegesheer, und eine Wolke stürmte an
die andere, eine Wolke wollte der andern Leben,
und eine Wolkenschlacht begann, und das Gewitter
stund, und Blitz auf Blitz ward entbunden, und
Blitz auf Blitz schlug zur Erde nieder, als ob sie sich
einen Durchgang bahnen wollten durch der Erde
Mitte auf der Erde andere Seite. Ohne Unterlaß
brüllte der Donner, zornesvoll heulte der Sturm,
geborsten war der Wolken Schoß, Fluten stürzten
nieder. Als so plötzlich und gewaltig die Wolkenschlacht losbrach, da hatte der Priester dem Sigristen nicht geantwortet, aber sich nicht niedergesetzt,
und ein immer steigendes Bangen ergriff ihn, ein
Drang kam ihn an, sich hinauszustürzen in der Ele-
mente Toben, aber seiner Gefährten wegen zauderte
er. Da ward ihm, als höre er durch des Donners
schreckliche Stimme eines Weibes markdurchschnei-
denden Weheruf. Da ward ihm plötzlich der Donner zu Gottes schrecklichem Scheltwort seiner Säumnis, er machte sich auf, was auch die beiden andern
sagen mochten. Er schritt, gefaßt auf alles, hinaus
in die feurigen Wetter, in des Sturmes Wut, der
Wolken Fluten; langsam, unwillig kamen die beiden ihm nach.

Es sauste und brauste und tosete, als sollten diese Töne zusammenschmelzen zur letzten Posaune, die der Welten Untergang verkündet, und feurige Garben fielen über das Dorf, als sollte jede Hütte auf-flammen; aber der Diener dessen, der dem Donner seine Stimme gibt und den Blitz zu seinem Knechte hat, hat sich vor diesem Mitknecht des gleichen Herren nicht zu fürchten, und wer auf Gottes Wegen geht, kann getrost Gottes Wettern das Seine überlassen. Darum schritt der Priester unerschrocken durch die Wetter dem Kilchstalden zu, die geweihten heiligen Waffen trug er bei sich, und bei Gott war sein Herz. Aber nicht in gleichem Mute folgten ihm die andern, denn nicht am gleichen Orte war ihr Herz; sie wollten nicht den Kilchstalden ab, nicht in solchem Wetter, nicht in später Nacht, und Hans hatte noch einen besondern Grund, warum er nicht wollte. Sie baten den Priester, umzukehren, auf andern Wegen zu gehen, Hans wußte nähere, der Sigrist bessere, beide warnten vor den Wassern im Tale, der aufgeschwollenen Grüne. Aber der Priester hörte nicht, achtete ihre Rede nicht; von einem wunderbaren Drange getrieben, eilte er auf den Flügeln des Gebetes dem Kilchstalden zu, sein Fuß stieß an keinen Stein, sein Auge ward durch keinen Blitz geblendet; bebend und weit hinter ihm, gedeckt, wie sie meinten, durch das Heiligste, das der Priester selbsten trug, folgten Hans und der Sigrist ihm nach.

Als sie aber hinauskamen vor das Dorf, wo ins Tal hinunter der Stalden sich senkt, da steht der Priester plötzlich still und schirmt mit der Hand die

Augen. Unterhalb der Kapelle schimmert in des
Blitzes Schein eine rote Feder, und des Priesters
scharfes Auge sieht aus grünem Hage hervorragen
ein schwarzes Haupt, und auf diesem schwankt die
rote Feder. Und wie er noch länger schaut, sieht er 5
am jenseitigen Abhange in schnellstem Laufe, wie
gejagt von des Windes wildestem Stoße, daherflie-
gen eine wilde Gestalt dem dunkeln Haupte zu, auf
dem einer Fahne gleich die rote Feder schwankte.

Da loderte im Priester auf der heilige Kampfes- 10
drang, der, sobald sie den Bösen ahnen, über die
kömmt, die gottgeweihten Herzens sind, wie der
Trieb über das Samenkorn kömmt, wenn das Leben
in ihns dringt, wie er in die Blume dringt, wenn sie
sich entfalten soll, wie er über den Helden kömmt, 15
wenn sein Feind das Schwert erhebt. Und wie der
Lechzende in des Stromes kühle Flut, wie der Held
zur Schlacht stürzte der Priester den Stalden nieder,
stürzte zum kühnsten Kampf, drang zwischen den
Grünen und Christine, die eben das Kindlein in des 20
andern Arme legen wollte, mitten hinein, schmetterte zwischen sie die drei höchsten heiligen Namen,
hält das Heiligste dem Grünen ans Gesicht, sprengt
heiliges Wasser über das Kind und trifft Christine
zugleich. Da fährt mit fürchterlichem Wehegeheul 25
der Grüne von dannen, wie ein glutroter Streifen
zuckt er dahin, bis die Erde ihn verschlingt; vom
geweihten Wasser berührt, schrumpft mit entsetz-
lichem Zischen Christine zusammen wie Wolle im
Feuer, wie Kalch im Wasser, schrumpft zischend, 30
flammensprühend zusammen bis auf die schwarze,
hochaufgeschwollene, grauenvolle Spinne in ihrem

Gesichte, schrumpft mit dieser zusammen, zischt in diese hinein, und diese sitzt nun giftstrotzend, trotzig mitten auf dem Kinde und sprüht aus ihren Augen zornige Blitze dem Priester entgegen. Dieser sprengt ihr Weihwasser entgegen, es zischt wie auf heißem Steine gewöhnliches Wasser; immer größer wird die Spinne, streckt immer weiter ihre schwarzen Beine aus über das Kind, glotzt immer giftiger den Priester an; da faßt dieser in feurigem Glaubensmut nach ihr mit kühner Hand. Es ist, als wenn er griffe in glühende Stacheln hinein, aber unerschüttert greift er fest, schleudert das Ungeziefer weg, faßt das Kind und eilt mit ihm sonder Weile der Mutter zu.

Und wie sein Kampf zu Ende war, stillte sich auch der Kampf der Wolken, sie eilten wieder in ihre dunkeln Kammern; bald flimmerte in stillem Sternenlicht das Tal, in dem kurz zuvor die wildeste Schlacht getobet, und fast atemlos ereilte der Priester das Haus, in welchem an Mutter und Kind die Freveltat begangen worden.

Dort war die Mutter noch ohnmächtig, mit dem gellenden Schrei hatte sie ihr Leben fortgesendet; neben ihr saß betend die Alte, sie traute noch auf Gott, daß er mächtiger sei als der Teufel böse. Mit dem Kinde brachte der Priester der Mutter auch das Leben zurück. Als sie erwachend das Kindlein wieder sah, durchfloß sie eine Wonne, wie sie nur die Engel im Himmel kennen, und auf der Mutter Armen taufte der Priester das Kind im Namen Gottes des Vaters, des Sohnes und des Heiligen Geistes; und jetzt war es entrissen des Teufels Gewalt auf immer, bis es sich ihm freiwillig übergeben wollte. Aber vor dem hütete es Gott, in dessen Gewalt jetzt seine Seele übergeben worden, während der Leib von der Spinne vergiftet blieb.

Bald schied seine Seele wieder, und wie mit Brand- flecken war das Leibchen gezeichnet. Die arme Mut- ter weinte wohl, aber, wo jeder Teil wieder dahin gehet, wo er hingehöret, zu Gott die Seele, zur Erde der Leib, da findet sich der Trost ein, früher dem, später jenem.

Sobald der Priester sein heilig Amt verrichtet hatte, begann er ein seltsam Jucken zu fühlen in Hand und Arm, womit er die Spinne weggeschleu- dert. Kleine schwarze Flecken sah er auf der Hand, sichtbarlich wurden sie größer und schwollen auf, Todesschauer rieselte ihm durchs Herz. Er segnete die Weiber und eilte heim, die heiligen Waffen wollte er als getreuer Streiter wieder dahin bringen, wo sie hingehörten, damit sie einem andern nach ihm zur Hand seien. Hochauf schwoll der Arm, schwarze Beulen quollen immer höher auf, er kämpfte mit des Todes Mattigkeit, aber er erlag ihr nicht.

Als er an den Kilchstalden kam, da sah er Hans, den gottvergessenen Vater, von dem man nicht wußte, wo er geblieben, mitten im Wege auf dem Rücken liegen. Hochgeschwollen und brandschwarz war sein Gesicht, und mitten auf demselben saß groß und schwarz und grausig die Spinne. Als der Pfarrer kam, blähte sie sich auf, giftig bäumten sich die Haare auf ihrem Rücken, giftig und sprühend glotzten ihre Augen ihn an, sie tat wie die Katze, wenn sie sich rüstet zu einem Sprung in ihres Todfeindes Gesicht. Da begann der Priester einen guten Spruch und hob die heiligen Waffen, und die Spinne schrak zusammen, kroch langbeinig vom schwarzen Gesichte, verlor sich in zischendem Grase. Darauf ging der Pfarrer vollends heim, stellte das Allerheiligste an seinen Ort, und während wilde Schmerzen den Leib zum Tode rissen, harrte in süßem Frieden seine Seele ihres Gottes, für den sie recht gestritten in kühnem Gotteskampfe, und lange ließ Gott sie nicht harren.

Aber solch süßer Friede, der still des Herren harrt, war hinten im Tale, war oben auf den Bergen nicht.

Von dem Augenblicke an, als Christine mit dem geraubten Kinde den Berg hinuntergefahren war dem Teufel zu, war heilloser Schreck in alle Herzen gefahren. Während dem fürchterlichen Ungewitter bebten die Menschen in den Schrecken des Todes, denn ihre Herzen wußten wohl, wenn Gottes Hand vernichtend über sie komme, so sei es mehr als wohlverdient. Als das Gewitter vorüber war, lief die Kunde von Haus zu Haus, wie der Pfarrer das Kindlein zurückgebracht und getauft, aber kein Hans, keine Christine gesehen worden.

Der grauende Morgen fand lauter bleiche Gesichter, und die schöne Sonne färbte sie nicht, denn alle wußten wohl, daß nun erst das Schrecklichste kommen werde. Da hörte man, daß mit schwarzen Beulen der Pfarrer gestorben, man fand Hans mit schrecklichem Gesichte, und von der gräßlichen Spinne, in die Christine verwandelt worden, hörte man seltsam verwirrte Worte.

Es war ein schöner Erntetag, aber keine Hand rührte sich zur Arbeit; die Leute liefen zusammen, wie man es pflegt am Tage nach dem Tage, an welchem ein großes Unglück begegnet ist. Sie fühlten erst jetzt in ihren bebenden Seelen so recht, was es heiße, von irdischer Not und Plage mit einer unsterblichen Seele sich loskaufen zu wollen, fühlten, daß ein Gott im Himmel sei, der alles Unrecht, das armen Kindern, die sich nicht wehren können, angetan wird, fürchterlich räche. So stunden sie bebend zusammen und jammerten, und wer bei den andern war, der durfte nicht mehr heim, und doch war Zank und Streit unter ihnen, und einer gab den andern schuld, und jeder wollte abgemahnet und gewarnet haben, und jeder hatte nichts darwider, daß Strafe die Schuldigen treffe, sich und sein Haus wollte aber jeder ohne Strafe. Und wenn sie in diesem schrecklichen Harren und Streiten ein neu, unschuldig Opfer gewußt hätten, es wäre keiner gewesen, der nicht an demselben gefrevelt in der Hoffnung, sich selbst zu retten.

Da schrie mitten im Haufen einer entsetzlich auf, es war ihm, als sei er in einen glühenden Dorn getreten, als nagle man mit glühendem Nagel den Fuß an den Boden, als ströme Feuer durch das Mark seiner Gebeine. Der Haufe fuhr auseinander, und alle Augen sahen nach dem Fuße, gegen den die Hand des Schreienden fuhr. Auf dem Fuße aber saß schwarz und groß die Spinne und glotzte giftig und schadenfroh in die Runde. Da starrte allen zuerst das Blut in den Adern, der Atem in der Brust, der Blick im Auge, und ruhig und schadenfroh glotzte die Spinne umher, und der Fuß ward schwarz, und im Leibe war's, als kämpfe zischend und wütend Feuer mit Wasser; die Angst sprengte die Fesseln des Schreckens, der Haufe stob auseinander. Aber in wunderbarer Schnelle hatte die Spinne ihren ersten Sitz verlassen und kroch diesem über den Fuß und jenem an die Ferse, und Glut fuhr durch ihren Leib, und ihr gräßlich Geschrei jagte die Fliehenden noch heftiger. In Windeseile, in Todesschrecken, wie das gespenstige Wild vor der wilden Jagd stoben sie ihren Hütten zu, und jeder meinte hinter sich die Spinne, verrammelte die Türe und hörte doch nicht auf zu beben in unsäglicher Angst.

Und einen Tag war die Spinne verschwunden, kein neues Todesgeschrei hörte man, die Leute mußten die verrammelten Häuser verlassen, mußten Speise suchen fürs Vieh und sich, sie taten es mit Todesangst. Denn wo war jetzt die Spinne, und konnte sie nicht hier sein und unversehens auf den Fuß sich setzen? Und wer am vorsichtigsten niedertrat und mit den Augen am schärfsten spähte, der sah die Spinne plötzlich sitzend auf Hand oder Fuß, sie lief ihm übers Gesicht, saß schwarz und groß ihm auf der Nase und glotzte ihm in die Augen, feurige Stacheln wühlten sich in sein Gebein, der Brand der Hölle schlug über ihm zusammen, bis der Tod ihn streckte.

So war die Spinne bald nirgends, bald hier, bald dort, bald im Tale unten, bald auf den Bergen oben; sie zischte durchs Gras, sie fiel von der Decke, sie tauchte aus dem Boden auf. An hellem Mittage, wenn die Leute um ihr Habermus saßen, erschien sie glotzend unten am Tisch, und ehe die Menschen den Schrecken gesprengt, war sie allen über die Hände gelaufen, saß oben am Tisch auf des Hausvaters Haupte und glotzte über den Tisch, die schwarz werdenden Hände weg. Sie fiel des Nachts den Leuten ins Gesicht, begegnete ihnen im Walde, suchte sie heim im Stalle. Die Menschen konnten sie nicht meiden, sie war nirgends und allenthalben, konnten im Wachen vor ihr sich nicht schützen, waren schlafend vor ihr nicht sicher. Wenn sie am sichersten sich wähnten unterem freien Himmel, auf eines Baumes Gipfel, so kroch Feuer ihnen den Rücken auf, der Spinne feurige Füße fühlten sie im Nacken, sie glotzte ihnen über die Achsel. Das Kind in der Wiege, den Greis auf dem Sterbebette schonte sie nicht; es war ein Sterbet, wie man noch von keinem wußte, und das Sterben daran war schrecklicher, als man es je erfahren, und schrecklicher noch als das Sterben war die namenlose Angst vor der Spinne, die allenthalben war und nirgends, die, wenn man am sichersten sich wähnte, einem todbringend plötzlich in die Augen glotzte.

Die Kunde von diesem Schrecken war natürlich alsobald ins Schloß gedrungen und hatte auch dorthin Schreck und Streit gebracht, soweit er bei den Regeln des Ordens stattfinden konnte. Dem von Stoffeln machte es bange, daß auch sie ebenso heimgesucht werden möchten wie früher ihr Vieh, und der verstorbene Priester hatte manches geäußert, welches ihm jetzt die Seele aufrührte. Er hatte ihm manchmal gesagt, daß alles Leid, welches er den Bauren antue, auf ihn zurückfahre, aber er hatte es nie geglaubt, weil er meinte, Gott werde einen Unterschied zu machen wissen zwischen einem Ritter und einem Bauer, hätte er sie doch sonst nicht so verschieden erschaffen. Aber jetzt ward ihm doch angst, es gehe nach des Priesters Wort, gab harte Worte seinen Rittern und meinte, es käme jetzt schwere Strafe ihrer leichtfertigen Worte wegen. Die Ritter aber wollten auch nicht schuld sein, und einer schob es dem andern zu, und wenn's auch keiner sagte, so meinten's doch alle, das gehe eigentlich nur den von Stoffeln an, denn wenn man es recht nehme, so sei der an allem schuld. Und neben diesem sahen sie einen jungen Polenritter an, der hatte eigentlich die meisten leichtfertigen Worte über das Schloß gesprochen und den von Stoffeln am meisten gereizt zum neuen Bau und vermessenen Schattengange. Der war noch sehr jung, aber der wildeste von allen, und wenn's eine vermessene Tat galt, so war er voran, er war wie ein Heide und fürchtete weder Gott noch Teufel.

Der merkte wohl, was die andern meinten, aber ihm nicht sagen durften, merkte auch ihre heimliche Angst. Darum höhnte er sie und sagte, wenn sie vor einer Spinne sich fürchteten, was sie dann gegen Drachen machen wollten? Dann wappnete er sich gut und ritt ins Tal hinauf, sich vermessend, nicht zurückkehren zu wollen, bis sein Roß die Spinne zertreten, seine Faust sie zerdrückt. Wilde Hunde sprangen um ihn her, der Falke saß ihm auf der Faust, am Sattel hing die Lanze, lustig bäumte sich das Pferd; halb schadenfroh, halb ängstlich sah man ihn aus dem Schlosse reiten und gedachte der nächtlichen Wache auf Bärhegen, wo die Kraft der weltlichen Waffen gegen diesen Feind so schlecht sich bewährt hatte.

Er ritt am Saume eines Tannenwaldes dem nächsten Gehöfe zu, scharfen Auges spähend um und über sich. Als er das Haus erblickte, Leute darum, rief er den Hunden, machte das Haupt des Falken frei, lose klirrte in der Scheide der Dolch. Wie der Falke die geblendeten Augen zum Ritter kehrte, seines Winkes gewärtig, prallte er ab der Faust und schoß in die Luft, die hergesprungenen Hunde heulten auf und suchten mit dem Schweife zwischen den Beinen das Weite. Vergebens ritt und rief der Ritter, seine Tiere sah er nicht wieder. Da ritt er den Menschen zu, wollte Kunde einziehen, sie stunden ihm, bis er nahekam. Da schrien sie gräßlich auf und flohen in Wald und Schlucht, denn auf des Ritters Helm saß schwarz, in übernatürlicher Größe die Spinne und glotzte giftig und schadenfroh ins Land. Was er suchte, das trug der Ritter und wußte es nicht; in glühendem Zorne rief und ritt er den Menschen nach, rief immer wütender, ritt immer toller, brüllte immer entsetzlicher, bis er und sein Roß über eine Fluh hinab zu Tale stürzten. Dort fand man Helm und Leib, und durch den Helm hindurch hatten die Füße der Spinne sich gebrannt dem Ritter bis ins Gehirn hinein, den schrecklichsten Brand ihm dort entzündet, bis er den Tod gefunden.

Da kehrte der Schreck erst recht ein ins Schloß; sie schlossen sich ein und fühlten sich doch nicht sicher, sie suchten nach geistigen Waffen, fanden

aber lange niemand, der sie zu führen wußte und
zu führen wagte. Endlich ließ sich ein ferner Pfaffe
locken mit Geld und Wort; er kam und wollte aus-
ziehen mit heiligem Wasser und heiligen Sprüchen
gegen den bösen Feind. Dazu aber stärkte er sich
nicht mit Gebet und Fasten, sondern er tafelte des
Morgens früh mit den Rittern und zählte die Becher
nicht und lebte wohl an Hirsch und Bär. Dazwischen redete er viel von seinen geistigen Helden-
taten und die Ritter von ihren weltlichen, und die
Becher zählte man sich nicht nach, und die Spinne
vergaß man. Da löschte auf einmal alles Leben aus,
die Hände hielten erstarrt Becher oder Gabel, der
Mund blieb offen, stier waren alle Augen auf einen
Punkt gerichtet, nur der von Stoffeln trank den
Becher leer und erzählte an einer Heldentat im Heidenlande. Aber auf seinem Kopfe saß groß die
Spinne und glotzte um den Rittertisch, aber der Ritter fühlte sie nicht. Da begann die Glut zu strömen
durch Gehirn und Blut, gräßlich schrie er auf, fuhr
mit der Hand nach dem Kopfe, aber die Spinne war
nicht mehr dort, war in ihrer schrecklichen Schnelle
den Rittern allen über ihre Gesichter gelaufen, keiner
konnte es wehren; einer nach dem andern schrie auf,
von Glut verzehrt, und von des Pfaffen Glatze nieder glotzte sie in den Greuel hinein, und mit dem
Becher, der nicht aus seiner Hand wollte, wollte der
Pfaffe den Brand löschen, der loderte vom Kopfe
herab durch Mark und Bein. Aber der Waffe trotzte
die Spinne und glotzte von ihrem Throne herab in
den Greuel, bis der letzte Ritter den letzten Schrei
ausgestoßen, am letzten Atemzuge geendet.

Im Schlosse blieben nur wenige Diener verschont, die nie Hohn mit den Bauren getrieben; sie erzählten, wie schrecklich es gegangen. Das Gefühl, daß den Rittern ihr Recht geschehen, tröstete aber die Bauren nicht, der Schreck ward immer größer, gräßlicher. Mancher suchte zu fliehen. Die einen wollten das Tal verlassen, aber gerade die fielen der Spinne zu. Auf dem Wege fand man ihre Leichname. Andere flohen auf die hohen Berge, aber droben vor ihnen war die Spinne, und wenn sie sich gerettet glaubten, so saß ihnen die Spinne im Nakken oder im Gesicht. Das Untier ward immer boshafter, immer teuflischer. Es überraschte nicht mehr unerwartet, brannte nicht mehr unversehens den Tod ein, es saß vor dem Menschen im Grase, hing über ihm am Baume, glotzte giftig ihn an. Dann floh der Mensch, so weit seine Füße ihn trugen, und stund er atemlos stille, so saß die Spinne vor ihm und glotzte giftig ihn an. Floh er abermal, und mußte er abermals die Schritte hemmen, so saß sie wieder vor ihm, und konnte er nicht mehr fliehen, dann erst kroch sie langsam an ihn heran und gab ihm den Tod.

Da versuchte wohl mancher in der Verzweiflung Widerstand, und ob die Spinne nicht zu töten sei, warf zentnerige Steine auf sie, wenn sie vor ihnen im Grase saß, schlug mit Keulen, mit Beilen nach ihr, aber alles umsonst, der schwerste Stein erdrückte sie nicht, das schärfste Beil verletzte sie nicht, unversehens saß sie dem Menschen im Gesicht, unversehrt kroch sie an ihn heran. Flucht, Widerstand, alles war eitel. Da ging alles Hoffen aus, und Verzweiflung füllte das Tal, saß auf den Bergen.

Ein einziges Haus hatte das Untier bis dahin verschont und war nie in demselben erschienen; es war das Haus, in welchem Christine gewohnt, aus welchem sie das Kindlein geraubet. Ihren eigenen Mann hatte sie auf einsamer Weide angefallen, dort fand man seinen Leichnam gräßlich zugerichtet wie keinen andern, seine Züge zerrissen in unaussprechlichem Schmerze; an ihm hatte sie ihren gräßlichsten Zorn ausgelassen, das gräßlichste Wiedersehn dem Ehemanne bereitet. Aber wie es zuging, hat niemand gesehen.

Zum Hause war sie noch nicht gekommen; ob sie es bis zuletzt sparen wollte oder ob sie sich scheute davor, das erriet man nicht. Aber nicht weniger als an andern Orten war die Angst eingekehrt.

Das fromme Weibchen war genesen, und es zagte nicht für sich, aber fast sehr um sein treues Bübchen und dessen Schwesterchen und wachte über sie Tag und Nacht, und die treue Großmutter teilte seine Sorgen und Wachen. Und gemeinsam beteten sie zu Gott, daß er ihnen ihre Augen offenhalten möchte zur Wache, daß er sie erleuchten und stärken möchte zur Rettung der unschuldigen Kindlein.

Oft war es ihnen, wenn sie so wachten lange Nächte durch, als sehen sie die Spinne glimmen und glitzern in dunkelm Winkel, als glotze sie zum Fenster herein; dann ward ihre Angst groß, denn sie wußten keinen Rat, wie vor der Spinne die Kindlein schützen, und um so brünstiger baten sie Gott um seinen Rat und Beistand. Sie hatten allerlei Waffen zur Hand gelegt, aber wie sie hörten, daß der Stein seine Schwere, das Beil seine Schärfe verliere, sie wieder beiseite gelegt. Da kam es der Mutter immer deutlicher vor, immer lebendiger in den Sinn: wenn jemand es wagen würde, die Spinne mit der Hand zu fassen, so vermöchte man sie zu überwältigen. Sie hörte auch von Leuten, die, als der Stein nichts half, mit der Hand sie zu erdrücken versuchten, allein vergeblich. Ein gräßlicher Glutstrom, der durch Hand und Arm zuckte, tilgte jede Kraft und brachte den Tod ins Herz. Es kam ihr auch vor, zu erdrücken vermöchte sie die Spinne nicht, aber sie erfassen dürfte sie wohl, und so viel Kraft würde ihr Gott verleihen, dieselbe irgendwohin zu tun, sie unschädlich zu machen. Sie hatte schon oft gehört, wie kundige Männer Geister eingesperrt hätten in ein Loch in Felsen oder Holz, welches sie mit einem Nagel zugeschlagen, und solange den Nagel niemand ausziehe, müsse der Geist gebannt im Loche sein.

Gleiches zu versuchen, drängte der Geist sie immer mehr. Sie bohrte ein Loch in das Bystal, das ihr am nächsten lag zur rechten Hand, wenn sie bei der Wiege saß, rüstete einen Zapfen, der scharf ins Loch paßte, weihte ihn mit geheiligtem Wasser, legte einen Hammer zurecht und betete nun Tag und Nacht zu Gott um Kraft zur Tat. Aber manchmal war das Fleisch stärker als der Geist, und schwerer Schlaf drückte ihr die Augen zu, dann sah sie im Traume die Spinne, glotzend auf ihres Bübchens goldenen Locken, dann fuhr sie aus dem Traume, fuhr nach des Bübchen Locken. Dort war aber keine

Spinne, ein Lächeln saß auf seinem Gesichtchen, wie Kindlein lächeln, wenn sie ihren Engel im Traume sehen; der Mutter aber glitzerten in allen Ecken der Spinne giftige Augen, und auf lange wich der Schlaf von ihr.

So hatte sie auch einmal nach strengem Wachen der Schlaf überwältigt, und dicht umnachtete er sie. Da war es ihr, als stürze der fromme Priester, der in der Rettung ihres Kindleins gestorben, herbei aus weiten Räumen und rufe aus der Ferne her: ›Weib, wache auf, der Feind ist da!‹ Dreimal rief er so, und erst beim drittenmal rang sie sich los aus des Schlafes engen Banden; aber wie sie die schweren Augenlider mühsam erhob, sah sie langsam, giftgeschwollen die Spinne schreiten übers Bettlein hinauf dem Gesichte ihres Bübchens zu. Da dachte sie an Gott und griff mit rascher Hand die Spinne. Da fuhren Feuerströme von derselben aus, der treuen Mutter durch Hand und Arm bis ins Herz hinein, aber Muttertreue und Mutterliebe drückten die Hand ihr zu, und zum Aushalten gab Gott die Kraft. Unter tausendfachen Todesschmerzen drückte sie mit der einen Hand die Spinne ins bereitete Loch, mit der andern den Zapfen davor und schlug mit dem Hammer ihn fest.

Drinnen sauste und brauste es, wie wenn mit dem Meere die Wirbelwinde streiten, das Haus wankte in seinen Grundfesten, aber fest saß der Zapfen, gefangen blieb die Spinne. Die treue Mutter aber freute sich noch, daß sie ihre Kindlein gerettet, dankte Gott für seine Gnade, dann starb sie auch den gleichen Tod wie alle, aber ihre Muttertreue löschte die Schmerzen aus, und die Engel geleiteten ihre Seele zu Gottes Thron, wo alle Helden sind, die ihr Leben eingesetzt für andere, die für Gott und die Ihren alles gewagt.

Nun war der schwarze Tod zu Ende. Ruhe und Leben kehrte ins Tal zurück. Die schwarze Spinne ward nicht mehr gesehen zur selben Zeit, denn sie saß in jenem Loche gefangen, wo sie jetzt noch sitzt.«

»Was, dort im schwarzen Holz?« schrie die Gotte und fuhr eines Satzes vom Boden auf, als ob sie in einem Ameisenhaufen gesessen wäre. An jenem Holze war sie gesessen in der Stube. Und jetzt brannte sie ihr Rücken, sie drehte sich, sie schaute hinter sich, fuhr mit der Hand auf und ab und kam nicht aus der Angst, die schwarze Spinne sitze ihr im Nacken.

Auch den andern waren die Herzen zugeklemmt, als der Großvater schwieg. Es war ein großes Schweigen über sie gekommen. Spott mochte niemand wagen, der Sache beistimmen auch nicht gerne; es hörte jeder lieber auf das erste Wort des andern, um darnach die eigene Rede richten zu können, so verfehlt man sich am wenigsten. Da kam die Hebamme, die schon mehrere Male gerufen hatte, ohne Antwort zu bekommen, hergelaufen, ihr Gesicht brannte hochrot, es war, als ob die Spinne auf demselben herumgekrochen wäre. Sie begann zu schmälen, daß niemand kommen wolle, wie laut sie auch rufe. Das sei ihr doch auch eine wunderliche Sache; wenn man gekochet habe, so wolle niemand zum Tisch, und wenn dann alles nicht mehr gut sei, so solle sie schuld sein an allem, sie wisse wohl, wie es gehe. So fettes

Fleisch, wie drinnen stehe, könne niemand mehr essen, wenn es kalt geworden; dazu sei es noch gar ungesund.

Nun kamen die Leute wohl, aber gar langsam, und keines wollte das erste bei der Türe sein, der Großvater mußte der erste sein. Es war diesmal nicht sowohl die übliche Sitte, nicht den Schein haben zu wollen, als möge man nicht warten, bis man zum Essen komme; es war das Zögern, das alle befällt, wenn sie am Eingang stehen eines schauerlichen Ortes, und doch war drinnen nichts Schauerliches. Hell glänzten auf dem Tische, frisch gefüllt, die schönen Weinflaschen, zwei glänzende Schinken prangten, gewaltige Kalbs- und Schafbraten dampften, frische Züpfen lagen dazwischen, Teller mit Tateren (Torten), Teller mit dreierlei Küchlene waren dazwischengezwängt, und auch die Kännchen mit dem süßen Tee fehlten nicht. So war's ein schönes Schauen, und doch achteten sich alle desselben wenig, aber alle sahen sich um mit ängstlichen Augen, ob nicht die Spinne aus irgendeiner Ecke glitzere oder gar vom prangenden Schinken herab sie anglotze mit ihren giftigen Augen. Man sah sie nirgends, und doch machte niemand die üblichen Komplimente: was man doch sinne, noch so viel aufzustellen, wer das doch essen solle, man habe bereits mehr als zuviel, sondern alle drängten sich an die untern Ecken des Tisches, niemand wollte hinauf.

Umsonst mahnte man die Gäste nach oben und zeigte auf die leeren Plätze, sie stunden unten wie angenagelt; vergebens schenkte der Kindbettimann ein und rief, sie sollten doch kommen und Gesundheit machen, es sei eingeschenkt. Da nahm derselbe die Gotte beim Arme und sagte: »Sei du das Witzigeste und gib das Exempel!« Aber mit aller Kraft, und die war nicht klein, sperrte sich die Gotte und rief: »Nicht um tausend Pfund sitze ich mehr da oben! Es gramselt mir den Rücken auf und nieder, als führe man mir mit Nesseln daran herum. Und säße ich dort vor dem Bystal, so fühlte ich die schreckliche Spinne sonder Unterlaß im Nacken.« »Daran bist du schuld, Großvater«, sagte die Großmutter, »warum bringst du solche Dinge aufs Tapet! So etwas trägt heutzutag nichts mehr ab und kann dem ganzen Hause schaden. Und wenn einst die Kinder aus der Schule kommen und weinen und klagen, die andern Kinder hielten ihnen vor, ihre Großmutter sei eine Hexe gewesen und ins Bystal gebannt, so hast du es dann.«

»Sei ruhig, Großmutter!« sagte der Großvater, »man hat heutzutag alles bald wieder vergessen und behält nichts mehr lange im Gedächtnis wie ehedem. Man hat die Sache von mir haben wollen, und es ist besser, die Leute vernehmen punktum die Wahrheit, als daß sie selbst etwas ersinnen; die Wahrheit bringt unserm Hause keine Unehre. Aber kommt und sitzet! Seht, vor den Zapfen will ich selbsten sitzen. Bin ich doch schon viel tausend Tage da gesessen ohne Furcht und ohne Zagen und darum auch ohne Gefährde. Nur wenn böse Gedanken in mir aufstiegen, die dem Teufel zur Handhabe werden konnten, so war es mir, als schnurre es hinter mir, wie eine Katze schnurret, wenn man sich mit ihr anläßt, ihr den Balg streicht, ihr behaglich wird, und mir fuhr

94

es den Rücken auf seltsam und absonderlich. Sonst aber hält sie sich mäusestill da innen, und solange man hier außen Gott nicht vergißt, muß sie warten da innen.«

Da faßten die Gäste Mut und setzten sich, aber ganz nahe zum Großvater rückte niemand. Jetzt endlich konnte der Kindbettimann vorlegen, legte ein mächtiges Stück Braten seiner Nachbarin auf den Teller, diese schnitt ein Stückchen ab und legte den Rest auf des Nachbars Teller, ihn mit dem Daumen von der Gabel streifend. So ging das Stück um, bis einer sagte, er denke, er behalte es, es sei noch mehr, wo das gewesen sei; ein neues Stück begann die Runde. Während der Kindbettimann einschenkte und vorlegte und die Gäste ihm sagten, er hätte heute einen strengen Tag, ging die Hebamme herum mit dem süßen Tee, stark gewürzt mit Safran und Zimmet, bot allen an und fragte: wer ihn liebe, solle es nur sagen, er sei für alle da. Und wer sagte, er sei Liebhaber, dem schenkte sie Tee in den Wein und sagte: sie liebe ihn auch, man möge den Wein viel besser ertragen, er mache einem nicht Kopfweh. Man aß und trank. Aber kaum war der Lärm vorbei, der allemal entsteht, wenn man hinter neue Gerichte geht, so ward man wieder stille, und ernst wurden die Gesichter, man merkte wohl, alle Gedanken waren bei der Spinne. Scheu und verstohlen blickten die Augen nach dem Zapfen hinter des Großvaters Rücken, und doch scheute jeder sich, wieder davon anzufangen.

Da schrie laut auf die Gotte und wäre fast vom Stuhle gefallen. Eine Fliege war über den Zapfen gelaufen, sie hatte geglaubt, der Spinne schwarze Beine gramselten zum Loche heraus, und zitterte vor Schreck am ganzen Leibe. Kaum ward sie ausgelacht; ihr Schreck war willkommener Anlaß, von neuem von der Spinne anzufangen, denn wenn einmal eine Sache unsere Seele recht berührt hat, so kommt dieselbe nicht so schnell davon los.

»Aber hör mal, Vetter«, sagte der ältere Götti, »ist die Spinne seither nie aus dem Loche gekommen, sondern immer darin geblieben seit so vielen hundert Jahren?« »E«, sagte die Großmutter, »es wäre besser, man schwiege von der ganzen Sache, man hätte ja den ganzen Nachmittag davon geredet.« »E, Mutter«, sagte der Vetter, »laß deinen Alten reden, er hat uns recht kurze Zeit gemacht, und vorhalten wird euch das Ding niemand, stammet ihr ja nicht von Christine ab. Und du bringst unsere Gedanken doch nicht von der Sache ab; und wenn wir nicht von ihr reden dürfen, so reden wir auch von nichts anderem, dann gibt's keine kurze Zeit mehr. Nun, Großvater, rede, deine Alte wird es uns nicht vergönnen!« »He, wenn ihr es zwingen wollet, so zwinget es meinethalben, aber gescheuter wäre es gewesen, man hätte jetzt von etwas anderm angefangen und besonders jetzt auf die Nacht hin«, sagte die Großmutter.

Da begann der Großvater, und alle Gesichter spannten sich wieder: »Was ich weiß, ist nicht mehr viel, aber was ich weiß, will ich sagen; es kann sich vielleicht in der heutigen Zeit jemand ein Exempel daran nehmen, schaden würde es wahrhaftig vielen nichts.

Als die Leute die Spinne eingesperrt wußten, sie ihres Lebens wieder sicher, da soll es ihnen gewesen sein, als seien sie im Himmel und der liebe Gott mit seiner Seligkeit mitten unter ihnen, und lange ging es gut. Sie hielten sich zu Gott und flohen den Teufel, und auch die Ritter, die frisch eingezogen waren ins Schloß, hatten Respekt vor Gottes Hand und hielten milde die Menschen und halfen ihnen auf.

Dieses Haus aber betrachteten alle mit Ehrfurcht, fast wie eine Kirche. Anfangs schauderte es sie freilich, wenn sie es ansahen, den Kerker der schrecklichen Spinne sahen und dachten, wie leicht sie da losbrechen und das Elend von vornen anfangen könnte mit des Teufels Gewalt. Aber sie sahen bald, daß da Gottes Gewalt stärker sei als die des Teufels, und aus Dank gegen die Mutter, die für alle gestorben, halfen sie den Kindern und bauten ihnen unentgeltlich den Hof, bis sie ihn selbsten arbeiten konnten. Die Ritter wollten ihnen bewilligen, ein neues Haus zu bauen, damit sie vor der Spinne sich nicht zu fürchten hätten oder diese durch Zufall im bewohnten Hause loskomme, und viele Nachbaren wollten ihnen helfen, die der Scheu vor dem Untier, vor dem sie so schrecklich gezittert, nicht loswerden konnten. Aber die alte Großmutter wollte es nicht tun. Sie lehrte ihre Enkel: hier sei die Spinne gebannt durch Gott Vater, Sohn und Heiligen Geist; solange diese drei heiligen Namen gelten in diesem Hause, solange in diesen drei heiligen Namen an diesem Tische gegessen und getrunken werde, so lange seien sie vor der Spinne sicher und diese fest im Loche, und kein Zufall mache etwas an der Sache.

Hier an diesem Tische, hinter ihnen die Spinne, werden sie nie vergessen, wie nötig ihnen Gott und wie mächtig er sei; so mahne sie die Spinne an Gott und müsse dem Teufel zum Trotz ihnen zum Heil werden. Ließen sie aber von Gott, und wäre es hundert Stunden von da, so könnte die Spinne sie finden oder der Teufel selbst. Das faßten die Kinder, blieben im Hause, wuchsen gottesfürchtig auf, und über dem Hause war der Segen Gottes.

Das Bübchen, welches so treu an der Mutter gewesen, so treu die Mutter an ihm, wuchs auf zu einem stattlichen Manne, der lieb war Gott und Menschen und Gnade bei den Rittern fand. Darum ward er auch gesegnet mit zeitlichem Gut und vergaß Gott nie darob, ward nie geizig damit; er half andern in ihren Nöten, wie er wünschte, daß ihm geholfen werde in der letzten Not; und wo er zu schwach zu eigener Hülfe war, da ward er ein um so kräftigerer Fürsprecher bei Gott und Menschen. Er ward gesegnet mit einem weisen Weibe, und zwischen ihnen war ein unergründlicher Friede, darum blühten fromm ihre Kinder auf, und beide fanden spät einen sanften Tod. Seine Familie blühte fort in Gottesfurcht und Rechttun.

Ja, über dem ganzen Tale lag der Segen Gottes, und Glück war in Feld und Stall und Friede unter den Menschen. Die schreckliche Lehre war den Menschen zu Herzen gegangen, sie hielten fest an Gott; was sie taten, taten sie in seinem Namen, und wo einer dem andern helfen konnte, da säumte er nicht. Vom Schlosse her ward ihnen kein Übel, aber viel Gutes. Immer weniger Ritter wohnten dort, denn immer härter ward der Streit im Heidenlande und immer nöter jede Hand, die fechten konnte; die aber, welche im Schlosse waren, mahnte täglich die große Totenhalle, in der die Spinne an Rittern wie an den Bauren ihre Macht geübt, daß Gott mit gleicher Kraft über jedem sei, der von ihm abfalle, sei er Bauer oder Ritter.

So schwanden viele Jahre in Glück und Segen, und das Tal ward berühmt vor allen andern. Stattlich waren ihre Häuser, groß ihre Vorräte, manch Geldstück ruhte im Kasten, ihr Vieh war das schönste zu Berg und Tal, und ihre Töchter waren berühmt landauf, landab und ihre Söhne gerne gesehen überall. Und dieser Ruhm welkte nicht über Nacht wie dem Jonas seine Schattenstaude, sondern er dauerte von Geschlecht zu Geschlecht; denn in der gleichen Gottesfurcht und Ehrbarkeit wie die Väter lebten auch die Söhne von Geschlecht zu Geschlecht. Aber wie gerade in den Birnbaum, der am flüssigsten genähret wird, am stärksten treibt, der Wurm sich bohrt, ihn umfrißt, welken läßt und tötet, so geschieht es, daß, wo Gottes Segensstrom am reichsten über die Menschen fließt, der Wurm in den Segen kömmt, die Menschen bläht und blind macht, daß sie ob dem Segen Gott vergessen, ob dem Reichtum den, der ihn gegeben hat, daß sie werden wie die Israeliten, die, wenn Gott ihnen geholfen, ob goldenen Kälbern ihn vergaßen.

So wurden, nachdem viele Geschlechter dahingegangen, Hochmut und Hoffart heimisch im Tale, fremde Weiber brachten und mehrten beides. Die Kleider wurden hoffärtiger, Kleinode sah man glänzen, ja, selbst an die heiligen Zeichen wagte die Hoffart sich, und statt daß ihre Herzen während dem Beten inbrünstig bei Gott gewesen wären, hingen ihre Augen hoffärtig an den goldenen Kugeln ihres Rosenkranzes. So ward ihr Gottesdienst Pracht und Hoffart, ihre Herzen aber hart gegen Gott und Menschen. Um Gottes Gebote bekümmerte man sich nicht, seines Dienstes, seiner Diener spottete man; denn, wo viel Hoffart ist oder viel Geld, da kömmt gerne der Wahn, daß man seine Gelüsten für Weisheit hält und diese Weisheit höher als Gottes Weisheit. Wie sie früher von den Rittern geplagt worden waren, so wurden sie jetzt hart gegen das Gesinde und plagten dieses, und je weniger sie selbst arbeiteten, um so mehr muteten sie diesen zu, und je mehr sie Arbeit von Knechten und Mägden forderten, um so mehr behandelten sie dieselben wie unvernünftiges Vieh, und daß diese auch Seelen hätten, die zu wahren seien, dachten sie nicht. Wo viel Geld oder viel Hoffart ist, da fängt das Bauen an, einer schöner als der andere, und wie früher die Ritter bauten, so bauten jetzt sie, und wie früher die Ritter sie plagten, so schonten sie jetzt weder Gesinde noch Vieh, wenn der Bauteufel über sie kam. Dieser Wandel war auch über dieses Haus gekommen, während der alte Reichtum geblieben war.

Fast zweihundert Jahre waren verflossen, seit die Spinne im Loche gefangensaß, da war ein schlau und kräftig Weib hier Meister, sie war keine Lindauerin, aber doch glich sie Christine in vielen Stükken. Sie war auch aus der Fremde, der Hoffart, dem

Hochmute ergeben, und hatte einen einzigen Sohn; der Mann war unter ihrer Meisterschaft gestorben. Dieser Sohn war ein schöner Bube, hatte ein gutes Gemüt und war freundlich mit Mensch und Vieh; sie hatte ihn auch gar lieb, aber sie ließ es ihn nicht merken. Sie meisterte ihn jeden Schritt und Tritt, und keiner war ihr recht, den sie ihm nicht erlaubt, und längst war er erwachsen und durfte nicht zur Kameradschaft und an keine Kilbi ohne der Mutter Begleit. Als sie ihn endlich alt genug glaubte, gab sie ihm ein Weib aus ihrer Verwandtschaft, eins nach ihrem Sinn. Jetzt hatte er zwei Meister statt nur einen, und beide waren gleich hoffärtig und hochmütig, und weil sie es waren, so sollte auch Christen es sein, und wenn er freundlich war und demütig, wie es ihm so wohl anstand, so erfuhr er, wer Meister war.

Schon lange war das alte Haus ihnen ein Dorn im Auge, und sie schämten sich seiner, da die Nachbaren neue Häuser hatten und doch kaum so reich als sie waren. Die Sage von der Spinne und was die Großmutter gesagt, war damals noch in jedermanns Gedächtnis, sonst wäre das alte Haus längst schon eingerissen worden, aber alle wehrten es ihnen. Sie nahmen aber dieses Wehren immer mehr für Neid, der ihnen kein neues Haus gönne. Zudem ward es ihnen immer unheimeliger im alten Hause. Wenn sie hier am Tische saßen, so war es ihnen, entweder als schnurre hinter ihnen behaglich die Katze, oder als ginge leise das Loch auf, und die Spinne ziele nach ihrem Nacken. Ihnen fehlte der Sinn, der das Loch vermachte, darum fürchteten sie sich immer mehr, das Loch möchte sich öffnen. Darum fanden sie einen guten Grund, ein neues Haus zu bauen, in dem sie die Spinne nicht zu fürchten hätten, wie sie meinten. Das alte wollten sie dem Gesinde überlassen, das ihrer Hoffart oft im Wege war, so wurden sie rätig.

Christen tat es sehr ungerne, er wußte, was die alte Großmutter gesagt, und glaubte, daß der Familiensegen an das Familienhaus geknüpfet sei, und vor der Spinne fürchtete er sich nicht, und wenn er hier oben am Tische saß, so schien es ihm, er könne am andächtigsten beten. Er sagte, wie er es meinte, aber seine Weiber hießen ihn schweigen, und weil er ihr Knecht war, so schwieg er auch, weinte aber oft bitterlich, wenn sie es nicht sahen.

Dort, oberhalb des Baumes, unter welchem wir gesessen, sollte ein Haus gebaut werden, wie keiner eins hätte in der ganzen Gegend.

In hoffärtiger Ungeduld, weil sie keinen Verstand vom Bauen hatten und nicht warten mochten, bis sie mit dem neuen Hause hochmütig tun konnten, plagten sie beim Bauen Gesinde und Vieh übel, schonten selbst die heiligen Feiertage nicht und gönnten ihnen auch des Nachts nicht Ruhe, und kein Nachbar war, der ihnen helfen konnte, daß sie zufrieden waren, dem sie nicht Böses nachgewünscht, wenn er nach unentgeltlicher Hülfe, wie man sie schon damals einander leistete, wieder heimging, um auch zu seiner Sache zu sehen.

Als man aufrichtete und den ersten Zapfen in die Schwelle schlug, so rauchte es aus dem Loche herauf wie nasses Stroh, wenn man es anbrennen will; da schüttelten die Werkleute bedenklich die Köpfe und sagten es heimlich und laut, daß der neue Bau nicht alt werden werde, aber die Weiber lachten darüber und achteten des Zeichens sich nicht. Als endlich das Haus erbauet war, zogen sie hinüber, richteten sich ein mit unerhörter Pracht und gaben als sogenannte Hausräuki eine Kilbi, die drei Tage lang dauerte und Kind und Kindeskinder noch davon erzählten im ganzen Emmental.

Aber während allen dreien Tagen soll man im ganzen Hause ein seltsam Surren gehört haben wie das einer Katze, welcher es behaglich wird, weil man ihr den Balg streicht. Doch die Katze, von welcher es kam, konnte man trotz alles Suchens nicht finden; da ward manchem unheimlich, und trotz aller Herrlichkeit lief er mitten aus dem Feste. Nur die Weiber hörten nichts oder achteten sich dessen nicht, mit dem neuen Hause meinten sie alles gewonnen.

Ja, wer blind ist, sieht auch die Sonne nicht, und wer taub ist, hört auch den Donner nicht. Darum freuten die Weiber des neuen Hauses sich, wurden alle Tage hoffärtiger, dachten an die Spinne nicht, sondern führten im neuen Hause ein üppiges, arbeitsloses Leben mit Putzen und Essen, kein Mensch konnte es ihnen treffen, und an Gott dachten sie nicht.

Im alten Hause blieb das Gesinde alleine, lebte, wie es wollte, und wenn Christen dasselbe auch unter seiner Aufsicht haben wollte, so duldeten die Weiber es nicht und schalten ihn, die Mutter aus Hochmut hauptsächlich, das Weib aus Eifersucht zumeist. Daher war drunten keine Ordnung und bald auch keine Gottesfurcht, und wo kein Meister ist, geht es so durchweg. Wenn kein Meister oben am Tische sitzt, kein Meister im Hause die Ohren spitzt, kein Meister draußen und drinnen die Zügel hält, so meint sich bald der der Größte, welcher am wüstesten tut, und der der Beste, welcher die ruchlosesten Reden führt.

So ging es zu im Hause drunten, und das sämtliche Gesinde glich bald einer Rudel Katzen, wenn sie am wüstesten tun. Von Beten wußte man nichts mehr, hatte darum weder vor Gottes Willen noch vor seinen Gaben Respekt. Wie die Hoffart der Meisterweiber keine Grenzen mehr kannte, so hatte der tierische Übermut des Gesindes keine Schranken mehr. Man schändete ungescheut das Brot, trieb das Habermus über den Tisch weg mit den Löffeln sich an die Köpfe, ja, verunreinigte viehisch die Speise, um boshaft den andern die Lust am Essen zu vertreiben. Sie neckten die Nachbaren, quälten das Vieh, höhnten jeden Gottesdienst, leugneten alle höhere Gewalt und plagten auf alle Weise den Priester, der strafend zu ihnen geredet hatte; kurz, sie hatten keine Furcht mehr vor Gott und Menschen und taten alle Tage wüster. Das wüsteste Leben führten Knechte und Mägde, und doch plagten sie einander wie nur möglich, und als die Knechte nicht mehr wußten, wie sie auf neue Art die Mägde quälen konnten, da fiel es einem ein, mit der Spinne im Loche die Mägde zu schrecken oder zahm zu machen. Er schmiß Löffel voll Habermus oder Milch an den Zapfen und schrie, die drinnen werde wohl hungrig sein, weil sie so viel hundert Jahre nichts gehabt. Da schrien die Mägde gräßlich auf und versprachen alles, was sie konnten, und selbst den andern Knechten graute es.

Da das Spiel sich ungestraft wiederholte, so wirkte es nicht mehr, die Mägde schrien nicht mehr, versprachen nichts mehr, und die andern Knechte begannen es auch zu treiben. Nun fing der an, mit dem Messer gegen das Loch zu fahren, mit den gräßlichsten Flüchen sich zu vermessen, er mache den Zapfen los und wolle sehen, was drinnen sei, und sie müßten einmal auch was Neues sehn. Das weckte neues Entsetzen, und der Bursche, der das tat, ward allen Meister und konnte zwingen, was er wollte, besonders bei den Mägden.

Das soll aber auch ein seltsamer Mensch gewesen sein, man wußte nicht, woher er kam. Er konnte sanft tun wie ein Lamm und reißend wie ein Wolf; war er alleine bei einem Weibsbilde, so war er ein sanftes Lamm, vor der Gesellschaft aber war er wie ein reißender Wolf und tat, als ob er alle haßte, als ob er über alles auswolle mit wüsten Taten und Worten; solche sollen den Weibsbildern aber gerade die liebsten sein. Darum entsetzten sich die Mägde öffentlich vor ihm, sollen ihn aber doch, wenn sie alleine waren, am liebsten von allen gehabt haben. Er hatte ungleiche Augen, aber man wußte nicht, von welcher Farbe, und beide haßten einander, sahen nie den gleichen Weg, aber unter langem Augenhaar und demütigem Niedersehn wußte er es zu verbergen. Sein Haar war schön gelockt, aber man wußte nicht, war es rot oder falb, im Schatten war es das schönste Flachshaar, schien aber die

Sonne darauf, so hatte kein Eichhörnchen einen rötern Pelz. Er quälte wie keiner das Vieh. Dasselbe haßte ihn auch darnach. Von den Knechten meinte ein jeder, er sei sein Freund, und gegen jeden wies er die andern auf. Den Meisterweibern war er unter allen alleine recht, er alleine war oft im obern Hause, dann taten unten die Mägde wüst; sobald er es merkte, steckte er sein Messer an den Zapfen und begann sein Drohen, bis die Mägde zum Kreuze krochen.

Doch behielt dieses Spiel auch nicht lange seine Wirkung. Die Mägde wurden dessen gewohnt und sagten endlich: ›Tue es doch, wenn du darfst, aber du darfst nicht!‹

Es nahte Weihnacht, die heilige Nacht. An das, was dieselbe uns weihet, dachten sie nicht, ein lustiges Leben hatten sie abgeraten in derselben. Im Schlosse drunten hauste ein alter Ritter nur, und der bekümmerte sich wenig mehr ums Zeitliche; ein schelmischer Vogt verwaltete alles zu seinem Vorteil. Um ein Schelmenstück hatten sie diesem edlen Ungarwein abgehandelt, neben welchem Lande die Ritter in großem Streite lagen; des edlen Weines Kraft und Feuer kannten sie nicht. Ein fürchterliches Unwetter kam herauf mit Blitz und Sturm wie selten sonst um diese Zeit, keinen Hund hätte man unter dem Ofen hervorgejagt. Zur Kirche zu gehen, hielt es sie nicht ab, sie wären bei schönem Wetter auch nicht gegangen, hätten den Meister alleine gehen lassen, aber es hielt andere ab, sie zu besuchen; sie blieben allein im alten Hause beim edlen Weine.

106

Sie begannen den heiligen Abend mit Fluchen und Tanzen, mit wüstern und ärgern Dingen; dann setzten sie sich zum Mahle, wozu die Mägde Fleisch gekocht hatten, weißen Brei und was sie sonst Gutes stehlen konnten. Da ward die Roheit immer gräßlicher, sie schändeten alle Speisen, lästerten alles Heilige; der genannte Knecht spottete des Priesters, teilte Brot aus und trank seinen Wein, als ob er die Messe verwaltete, taufte den Hund unterem Ofen, trieb es, bis es angst und bange den andern wurde, wie ruchlos sie sonst auch waren. Da stach er mit dem Messer ins Loch und fluchte, er wolle ihnen noch ganz andere Dinge zeigen. Als sie darob nicht erschrecken wollten, weil er das gleiche schon manchmal getrieben und mit dem Messer gegen den Zapfen kaum viel abzubringen war, so griff er in halber Raserei nach einem Bohrer, vermaß sich aufs schrecklichste, sie sollten es erfahren, was er könne, büßen ihr Lachen, daß ihnen die Haare zu Berge ständen, und drehte mit wildem Stoße den Bohrer in den Zapfen hinein. Laut aufschreiend stürzten alle auf ihn zu, aber ehe jemand es hindern konnte, lachte er wie der Teufel selbst, tat einen kräftigen Ruck am Bohrer.

Da bebte von ungeheurem Donnerschlag das ganze Haus, der Missetäter stürzte rücklings nieder, ein roter Glutstrom brach aus dem Loche hervor, und mittendrin saß groß und schwarz, aufgeschwollen im Gifte von Jahrhunderten, die Spinne und glotzte in giftiger Lust über die Frevler hin, die versteinert in tödlicher Angst kein Glied bewegen konnten, dem schrecklichen Untiere zu entrinnen, das langsam und schadenfroh ihnen über die Gesichter kroch, ihnen einimpfte den feurigen Tod.

Da erbebte das Haus von schrecklichem Wehgeheul, wie hundert Wölfe es nicht auszustoßen vermögen, wenn der Hunger sie peinigt. Und bald erscholl ein ähnliches Wehgeschrei aus dem neuen Hause, und Christen, der eben den Berg aufkam von der heiligen Messe, meinte, es seien Räuber eingebrochen, und seinem starken Arme trauend, stürzte er den Seinen zu Hilfe. Er fand keine Räuber, aber den Tod; mit diesem rangen Weib und Mutter und hatten schon keine Stimme mehr in den hochaufgelaufenen, schwarzen Gesichtern; ruhig schlummerten seine Kinder, und gesund und rot waren ihre munteren Gesichter. Es stieg in Christen die schreckliche Ahnung dessen auf, was geschehen war; er stürzte ins untere Haus, dort sah er die Diensten alle verendet, die Stube zur Totenkammer geworden, geöffnet das schauerliche Loch im Bystal, in des scheußlich entstellten Knechtes Hand den Bohrer und auf des Bohrers Spitze den schrecklichen Zapfen. Jetzt wußte er, was da geschehen war, schlug die Hände über dem Kopfe zusammen, und wenn die Erde ihn verschlungen hätte, so wäre es ihm recht gewesen. Da kroch etwas hinterem Ofen hervor, schmiegte sich ihm an; entsetzt fuhr er zusammen, aber es war nicht die Spinne, es war ein armes Bübchen, das er um Gottes willen ins Haus genommen und unter dem ruchlosen Gesinde gelassen hatte, wie es ja auch jetzt viel geschieht, daß man Kinder um Gottes willen nimmt und sie dem Teufel

108

in die Hände spielt. Das hatte keinen Teil genommen an den Greueln des Gesindes, war erschreckt hinter den Ofen geflohn; ihns allein hatte die Spinne verschont, es konnte nun den Hergang erzählen.

Aber noch während das Bübchen erzählte, scholl durch Wind und Wetter Angstgeschrei von andern Häusern her. Wie in hundertjähriger, aufgeschwellter Lust flog die Spinne durch die Talschaft, las zuerst die üppigsten Häuser sich aus, wo man am wenigsten an Gott dachte, aber am meisten an die Welt, daher von dem Tod am wenigsten wissen mochte.

Noch war es nicht Tag geworden, so war die Kunde in jeglichem Hause: die alte Spinne sei losgebrochen, gehe aufs neue todbringend um in der Gemeinde; schon lägen viele tot, und hinten im Tale fahre Schrei um Schrei zum Himmel auf von den Gezeichneten, die sterben müßten. Da kann man sich denken, welch Jammer im Lande war, welche Angst in allen Herzen, was das für eine Weihnacht war in Sumiswald! An die Freude, die sie sonst bringt, konnte keine Seele denken, und solcher Jammer kam vom Frevel der Menschen. Der Jammer aber ward alle Tage größer, denn schneller, giftiger als das frühere Mal war die Spinne jetzt. Bald war sie zuvorderst, bald zuhinterst in der Gemeinde; auf den Bergen, im Tale erschien sie zu gleicher Zeit. Wie sie früher meist hier einen, dort einen gezeichnet hatte zum Tode, so verließ sie jetzt selten ein Haus, ehe sie alle vergiftet; erst wenn alle im Tode sich wanden, setzte sie sich auf die Schwelle und glotzte schadenfroh in die Vergiftung, als ob sie sagen wollte: sie sei es und sei doch wieder da, wie lange man sie auch eingesperrt.

Es schien, als ob sie wüßte, ihr sei wenig Zeit vergönnt, oder als ob sie sich viele Mühe sparen wollte, sie tat, wo sie konnte, viele auf einmal ab. Darum lauerte sie am liebsten auf die Züge, welche die Toten zur Kirche geleiten wollten. Bald hier, bald dort, am liebsten unten am Kilchstalden tauchte sie mitten in den Haufen auf oder glotzte plötzlich vom Sarge herab auf die Begleitenden. Da fuhr dann ein schreckliches Wehgeschrei aus dem begleitenden Zuge zum Himmel auf, Mann um Mann fiel nieder, bis der ganze Zug der Begleitenden am Wege lag, und rang mit dem Tode, bis kein Leben mehr unter ihnen war, und um den Sarg ein Haufen Tote lag, wie tapfere Krieger um ihre Fahne liegen, von der Übermacht erfaßt. Da wurden keine Toten mehr zur Kirche gebracht, niemand wollte sie tragen, niemand geleiten; wo der Tod sie streckte, da ließ man sie liegen.

Verzweiflung lag überem ganzen Tale. Wut kochte in allen Herzen, strömte in schrecklichen Verwünschungen gegen den armen Christen aus; an allem sollte jetzt er schuld sein. Jetzt auf einmal wußten alle, daß Christen das alte Haus nicht hätte verlassen, das Gesinde nicht sich selbst überlassen sollen. Auf einmal wußten alle, daß der Meister für sein Gesinde mehr oder minder verantwortlich sei, daß er wachen solle über Beten und Essen, wehren solle gottlosem Leben, gottlosen Reden und gottlosem Schänden der Gaben Gottes. Jetzt war allen

auf einmal Hoffart und Hochmut vergangen, sie
taten diese Laster in die unterste Hölle hinunter
und hätten es kaum Gott geglaubt, daß sie dieselben
noch vor wenig Tagen so schmählich an sich getragen; sie waren alle wieder fromm, hatten die schlech-
testen Kleider an und die alten verachteten Rosen-
kränze wieder in den Händen und überredeten sich
selbst, sie seien immer gleich fromm gewesen, und
an ihnen fehlte es nicht, daß sie Gott nicht das gleiche überredeten. Christen allein unter ihnen allen
sollte gottlos sein, und Flüche wie Berge kamen von
allen Seiten auf ihn her. Und war er doch vielleicht
unter allen der Beste, aber sein Wille lag gebunden
in seiner Weiber Willen, und dieses Gebundensein
ist allerdings eine schwere Schuld für jeden Mann,
und schwerer Verantwortung entrinnt er nicht, weil
er anders ist, als Gott ihn will. Das sah Christen
auch ein, darum war er nicht trotzig, pochte nicht,
gab sich schuldiger dar, als er war; aber damit ver-
söhnte er die Leute nicht, erst jetzt schrien sie einander zu, wie groß seine Schuld sein müsse, da er
so viel auf sich nehme, so weit sich unterziehe, es ja
selbst bekenne, er sei nichts wert.

Er aber betete Tag und Nacht zu Gott, daß er
das Übel wende, aber es ward schrecklicher von
Tag zu Tag. Er ward es inne, daß er gutmachen
müsse, was er gefehlt, daß er sich selbst zum Opfer
geben müsse, daß an ihm liege die Tat, die seine
Ahnfrau getan. Er betete zu Gott, bis ihm so recht
feurig im Herzen der Entschluß emporwuchs, die
Talschaft zu retten, das Übel zu sühnen, und zum
Entschluß kam der standhafte Mut, der nicht wankt,

111

immer bereit ist zur gleichen Tat, am Morgen wie am Abend.

Da zog er herab mit seinen Kindern aus dem neuen Haus ins alte Haus, schnitt zum Loch einen neuen Zapfen, ließ ihn weihen mit heiligem Wasser und heiligen Sprüchen, legte zum Zapfen den Hammer, setzte zu den Betten der Kinder sich und harrte der Spinne.

Da saß er, betete und wachte und rang mit dem schweren Schlaf festen Mutes und wankte nicht; aber die Spinne kam nicht, ob sie sonst allenthalben war; denn immer größer war der Sterbet, immer wilder die Wut der Überlebenden.

Mitten in diesen Schrecken sollte ein wildes Weib ein Kind gebären. Da kam den Leuten die alte Angst, ungetauft möchte die Spinne das Kindlein holen, das Pfand ihrer alten Pacht. Das Weib gebärdete sich wie unsinnig, hatte kein Gottvertrauen, desto mehr Haß und Rache im Herzen.

Man wußte, wie die Alten gegen den Grünen sich geschützt vor Zeiten, wenn ein Kind geboren werden sollte, wie der Priester der Schild war, den sie zwischen sich und den ewigen Feind gestellt. Man wollte auch nach dem Priester senden, aber wer sollte der Bote sein? Die unbegrabenen Toten, welche die Spinne bei den Leichenzügen erfaßt, sperrten die Wege, und würde wohl ein Bote über die wilden Höhen der Spinne, die alles zu wissen schien, entgehen können, wenn er den Priester holen wollte? Es zagten alle. Da dachte endlich der Mann des Weibes: wenn die Spinne ihn haben wolle, so könne sie ihn daheim fassen wie auf dem Wege; wenn ihm der Tod bestimmt sei, so entrinne er ihm hier nicht und dort nicht.

Er machte sich auf den Weg, aber Stunde um Stunde rann vorüber, kein Bote kam wieder. Wut und Jammer wurde immer entsetzlicher, die Geburt rückte immer näher. Da riß das Weib in der Wut der Verzweiflung vom Lager sich auf, stürzte hin nach Christes Haus, dem tausendfach Verwünschten, der betend bei seinen Kindern saß, des Kampfes mit der Spinne gewärtig. Weither schon tönte ihr Geschrei, ihre Verwünschungen donnerten an Christes Türe, lange ehe sie dieselbe aufriß und den Donner in die Stube ihm brachte. Als sie hereinstürzte so schrecklichen Angesichtes, da fuhr er auf, er wußte erst nicht, war es Christine in ihrer ursprünglichen Gestalt. Aber unter der Türe hemmte der Schmerz ihren Lauf, an den Türpfosten wand sie sich, die Flut ihrer Verwünschungen ausgießend über den armen Christen. Er sollte der Bote sein, wenn er nicht verflucht sein wolle mit Kind und Kindeskindern in Zeit und Ewigkeit. Da überwallete der Schmerz ihr Fluchen, und ein Söhnlein war geboren vom wilden Weibe auf Christes Schwelle, und alle, die ihr gefolgt waren, stoben ins Weite, des Schrecklichsten gewärtig. Das unschuldige Kindlein hielt Christen in den Armen; stechend und wild, giftig starrten aus des Weibes verzerrten Zügen dessen Augen ihn an, und es ward ihm immer mehr, als trete die Spinne aus ihnen heraus, als sei sie es selbst. Da kam eine Kraft Gottes in ihn, und ein übermenschlicher Wille ward in ihm mächtig; einen innigen Blick warf er auf seine Kinder, hüllte das neugeborne Kind in sein warm Gewand, sprang über das glotzende Weib den Berg hinunter das Tal entlang, Sumiswald zu. Zur heiligen Weihe wollte er das Kindlein selbsten tragen zur Sühne der Schuld, die auf ihm lag, dem Haupte seines Hauses, das übrige überließ er Gott. Tote hemmten seinen Lauf, vorsichtig mußte er seine Tritte setzen. Da ereilte ihn ein leichter Fuß, es war das arme Bübchen, dem es graute bei dem wilden Weibe, das ein kindlicher Trieb dem Meister nachgetrieben. Wie Stacheln fuhr es durch Christes Herz, daß seine Kinder alleine bei dem wütenden Weibe seien. Aber sein Fuß stund nicht stille, strebte dem heiligen Ziele zu.

Schon war er unten am Kilchstalden, hatte die Kapelle im Auge, da glühte es plötzlich vor ihm mitten im Wege, es regte sich im Busche, im Wege saß die Spinne, im Busche wankte rot ein Federbusch, und hoch hob sich die Spinne alswie zum Sprunge. Da rief Christen mit lauter Stimme zum dreieinigen Gott, und aus dem Busche tönte ein wilder Schrei, es schwand die rote Feder, in des Bübchens Arme legte er das Kind und griff, dem Herren seinen Geist empfehlend, mit starker Hand die Spinne, die, wie gebannt durch die heiligen Worte, am gleichen Flecke sitzenblieb. Glut strömte durch sein Gebein, aber er hielt fest; der Weg war frei, und das Bübchen, verständigen Sinnes, eilte dem Priester zu mit dem Kinde, Christen aber, Feuer in der starken Hand, eilte geflügelten Laufes seinem Hause zu. Schrecklich war der Brand in seiner Hand, der Spinne Gift drang durch alle Glieder. Zu Glut ward sein Blut. Die Kraft wollte erstarren, der Atem stocken, aber er betete fort und fort, hielt Gott fest vor Augen, hielt aus in der Hölle Glut. Schon sah er sein Haus, mit dem Schmerz wuchs sein Hoffen, unter der Türe war das Weib. Als dasselbe ihn kommen sah ohne Kind, stürzte es sich ihm entgegen einer Tigerin gleich, der man die Jungen geraubt, es glaubte an den schändlichsten Verrat. Es achtete sich seines Winkens nicht, hörte nicht die Worte aus seiner keuchenden Brust, stürzte in seine vorgestreckten Hände, klammerte an sie sich an, in Todesangst mußte er die Wütende schleppen zum Hause herein, muß frei die Arme kämpfen, ehe es ihm gelingt, ins alte Loch die Spinne zu drängen, mit sterbenden Händen den Zapfen vorzuschlagen. Er vermag's mit Gottes Hülfe. Den sterbenden Blick wirft er auf die Kinder, hold lächeln sie im Schlafe. Da wird es ihm leicht, eine höhere Hand schien seine Glut zu löschen, und laut betend schließt er zum Tode seine Augen, und Frieden und Freude fanden die auf seinem Gesichte, die vorsichtig und angstvoll kamen, zu schauen, wo das Weib geblieben. Erstaunt sahen sie das Loch verschlagen, aber das Weib fanden sie versengt und verzerrt im Tode liegen; an Christes Hand hatte sie den feurigen Tod geholt. Noch standen sie und wußten nicht, was geschehen war, als mit dem Kinde das Bübchen wiederkehrte, vom Priester begleitet, der das Kind schnell getauft nach damaliger Sitte und wohlgerüstet und mutvoll dem gleichen Kampfe entgegengehen wollte, in dem sein Vorgänger siegreich das Leben gelassen. Aber ein solch Opfer forderte Gott nicht von ihm, den Kampf hatte schon ein anderer bestanden.

Lange faßten die Leute nicht, welch große Tat Christen vollbracht. Als ihnen endlich Glaube und Erkenntnis kam, da beteten sie freudig mit dem Priester, dankten Gott für das neu geschenkte Leben und für die Kraft, die er Christen gegeben. Diesem aber baten sie im Tode noch ihr Unrecht ab und beschlossen, mit hohen Ehren ihn zu begraben, und sein Andenken stellte sich glorreich wie das eines Heiligen in aller Seelen.

Sie wußten nicht, wie ihnen war, als der so schreckliche Schreck, der fort und fort durch ihre Glieder zitterte, auf einmal geschwunden war und sie mit Freuden wieder in den blauen Himmel hinaufsehen konnten ohne Angst, die Spinne krieche unterdessen auf ihre Füße. Sie beschlossen viele Messen und einen allgemeinen Kilchgang; vor allem wollten sie die beiden Leichen bestatten, Christen und seine Drängerin, dann sollten auch die andern eine Stätte finden, soweit es möglich war.

Es war ein feierlicher Tag, als das ganze Tal zur Kirche wanderte, und auch in manchem Herzen war es feierlich, manche Sünde ward erkannt, manch Gelübde ward getan, und von dem Tage an wurde viel übertriebenes Wesen auf den Gesichtern und in den Kleidern nicht mehr gesehen.

Als in der Kirche und auf dem Kirchhofe viele Tränen geflossen, viele Gebete geschehen waren, gingen alle aus der ganzen Talschaft, welche zur Begräbnis gekommen war – und gekommen waren alle, die ihrer Glieder mächtig waren –, zum üblichen Imbiß ins Wirtshaus. Da geschah es nun, daß wie üblich Weiber und Kinder an einem eigenen Tische saßen, die sämtliche erwachsene Mannschaft aber Platz hatte an dem berühmten Scheibentische, der jetzt noch im ›Bären‹ zu Sumiswald zu sehen ist. Er ward aufbewahret zum Andenken, daß einst nur noch zwei Dutzend Männer waren, wo jetzt an zwei Tausende wohnen, zum Andenken, daß auch das Leben der Zweitausende in der Hand dessen stehe, der die zwei Dutzend gerettet. Damals säumte man sich nicht lange an der Gräbt; es waren die Herzen zu voll, als daß viel Speise und Trank Platz gehabt hätte. Als sie aus dem Dorfe hervor auf die freie Höhe kamen, sahen sie eine Röte am Himmel, und als sie heimkamen, fanden sie das neue Haus niedergebrannt bis auf den Boden; wie es zugegangen, erfuhr man nie.

Aber was Christen an ihnen getan, vergaßen die Leute nicht, an seinen Kindern vergalten sie es. Fromm und wacker erzogen sie dieselben in den frömmsten Häusern; an ihrem Gute vergriff sich keine Hand, obgleich keine Rechnung zu sehen war. Es wurde gemehret und wohl besorgt, und als die Kinder auferwachsen waren, so waren sie nicht nur nicht um ihr Gut betrogen, sondern noch viel weniger um ihre Seelen. Es wurden rechtschaffene, gottesfürchtige Menschen, die Gnade bei Gott hatten und Wohlgefallen bei den Menschen, die Segen im Leben fanden und im Himmel noch mehr. Und so blieb es in der Familie, und man fürchtete die Spinne nicht, denn man fürchtete Gott, und wie es gewesen war, so soll es, so Gott will, auch bleiben, solange hier ein Haus steht, solange Kinder den Eltern folgen in Wegen und Gedanken.«

Hier schwieg der Großvater, und lange schwiegen alle, und die einen sannen dem Gehörten nach, und die andern meinten, er schöpfe Atem und fahre dann weiters fort.

Endlich sagte der ältere Götti: »An dem Scheibentisch bin ich manchmal gesessen und habe von dem Sterbet gehört und daß nach demselben sämtliche Mannschaft in der Gemeinde daran Platz gehabt. Aber wie punktum alles zugegangen, das konnte mir niemand sagen. Die einen stürmten dies und andere anders. Aber sage mir, wo hast du denn alles das vernommen?«

»He«, sagte der Großvater, »das erbte sich bei uns vom Vater auf den Sohn, und als das Andenken davon bei den andern Leuten im Tale sich verlor, hielt man es in der Familie sehr heimlich und scheuete sich, etwas davon unter die Menschen zu lassen. Nur in der Familie redete man davon, damit kein Glied derselben vergesse, was ein Haus bauet und ein Haus zerstört, was Segen bringt und Segen vertreibt. Du hörst es meiner Alten wohl noch an, wie ungern sie es hat, wenn man so öffentlich davon redet. Aber mich dünkt, es täte je länger je nöter, davon zu reden, wie weit man es mit Hochmut und Hoffart bringen kann. Darum tue ich auch nicht mehr so geheim mit der Sache, und es ist nicht das erstemal, daß ich unter guten Freunden sie erzählet. Ich denke immer, was unsere Familie so viele Jahre im Glücke erhalten, das werde andern auch nicht schaden, und recht sei es nicht, ein Geheimnis mit dem zu machen, was Glück und Gottes Segen bringt.«

»Du hast recht, Vettermann«, antwortete der Götti, »aber fragen muß ich dich doch noch: War denn das Haus, welches du vor sieben Jahren einrissest, das uralte? Ich kann das fast nicht glauben.«

»Nein«, sagte der Großvater. »Das uralte Haus war gar baufällig geworden schon vor fast dreihundert Jahren, und der Segen Gottes in Feldern und Matten hatte schon lange nicht mehr Platz darin. Und doch wollte es die Familie nicht verlassen, und ein neues bauen durfte sie nicht, sie hatte nicht vergessen, wie es dem früheren ergangen. So kam sie in große Verlegenheit und fragte endlich einen weisen Mann, der zu Haslebach gewohnt haben soll, um Rat. Der soll geantwortet haben: ein neues Haus könnten sie wohl bauen an die Stelle des alten und nicht anderswo, aber zwei Dinge müßten sie wohl bewahren, das alte Holz, worin die Spinne sei, den alten Sinn, der ins alte Holz die Spinne geschlossen, dann werde der alte Segen auch im neuen Hause sein.

Sie bauten das neue Haus und fügten ihm ein mit Gebet und Sorgfalt das alte Holz, und die Spinne rührte sich nicht, Sinn und Segen änderten sich nicht.

Aber auch das neue Haus ward wiederum alt und klein, wurmstichig und faul sein Holz, nur der Posten hier blieb fest und eisenhart. Mein Vater hätte schon bauen sollen, er konnte es erwehren, es kam an mich. Nach langem Zögern wagte ich es. Ich tat wie die Frühern, fügte das alte Holz dem neuen Hause bei, und die Spinne regte sich nicht. Aber gestehen will ich es: mein Lebtag betete ich nie so inbrünstig wie damals, als ich das verhängnisvolle Holz in Händen hatte; die Hand, der ganze Leib brannte mich, unwillkürlich mußte ich sehen, ob mir nicht schwarze Flecken wüchsen an Hand und Leib, und ein Berg fiel mir von der Seele, als endlich alles an seinem Orte stund. Da ward meine Überzeugung noch fester, daß weder ich noch meine Kinder und Kindeskinder etwas von der Spinne zu fürchten hätten, solange wir uns fürchten vor Gott.«

Da schwieg der Großvater, und noch war der Schauer nicht verflogen, der ihnen den Rücken heraufgekrochen, als sie hörten, der Großvater hätte das Holz in Händen gehabt, und sie dachten, wie es ihnen wäre, wenn sie es auch darein nehmen müßten.

Endlich sagte der Vetter: »Es ist nur schade, daß man nicht weiß, was an solchen Dingen wahr ist. Alles kann man kaum glauben, und etwas muß doch an der Sache sein, sonst wäre das alte Holz nicht da.« Sei jetzt daran wahr, was da wolle, so könne man viel daraus lernen, sagte der jüngere Götti, und dazu hätten sie noch kurze Zeit gehabt, es dünke ihn, er sei erst aus der Kirche gekommen.

Sie sollten nicht zuviel sagen, sagte die Großmutter, sonst fange ihr Alter ihnen eine neue Geschichte an, sie sollten jetzt auch einmal essen und trinken, es sei ja eine Schande, wie niemand esse und trinke. Es solle doch nicht alles schlecht sein, sie hätten angewendet, so gut sie es verstanden.

Nun ward viel gegessen, viel getrunken und zwischendurch gewechselt manche verständige Rede, bis groß und golden am Himmel der Mond stund, die

Sterne aus ihren Kammern traten, zu mahnen die Menschen, daß es Zeit sei, schlafen zu gehn in ihre Kämmerlein.

Die Menschen sahen die geheimnisvollen Mahner wohl, aber sie saßen da so heimelig, und jedem klopfte es unheimlich unterem Brusttuch, wenn er ans Heimgehn dachte; und wenn es schon keiner sagte, so wollte doch keiner der erste sein.

Endlich stund die Gotte auf und schickte mit zitterndem Herzen zum Weggehn sich an, doch es fehlte ihr an sicheren Begleitern nicht, und miteinander verließ die ganze Gesellschaft das gastliche Haus mit vielem Dank und guten Wünschen, allen Bitten an einzelne, an die Gesamtheit, doch noch länger zu bleiben, es werde ja nicht finster, zum Trotz.

Bald war es still ums Haus, bald auch still in demselben. Friedlich lag es da, rein und schön glänzte es in des Mondes Schein das Tal entlang, sorglich und freundlich barg es brave Leute in süßem Schlummer, wie die schlummern, welche Gottesfurcht und gute Gewissen im Busen tragen, welche nie die schwarze Spinne, sondern nur die freundliche Sonne aus dem Schlummer wecken wird. Denn wo solcher Sinn wohnet, darf sich die Spinne nicht regen, weder bei Tage noch bei Nacht. Was ihr aber für eine Macht wird, wenn der Sinn ändert, das weiß der, der alles weiß und jedem seine Kräfte zuteilt, den Spinnen wie den Menschen.

ANMERKUNGEN

3,10 f. *die dornichten Bettchen:* die dornigen Nester.

3,12 *Halde:* Bergabhang.

3,14 f. *ein schönes Haus:* Die von Gotthelf dargestellte Erzählung haftet an einem Bauernhaus im oberen Hornbach, hinter dem Dorfe Wasen, worin zu Gotthelfs Zeit tatsächlich der von ihm beschriebene Pfosten aufbewahrt wurde. Gotthelfs Beschreibung des Hauses ist so genau, daß angenommen wird, daß er an der von ihm erzählten Tauffeier teilgenommen hat.

3,17 *stund:* veraltetes Imperfekt für: stand.

3,19 *Futtergange:* Raum zwischen Tenne und Stall, von dem aus dem Vieh Futter in die Raufe gelegt wird.

4,5 f. *der Tag ... zum Vater gegangen war:* Christi Himmelfahrt, 40. Tag nach Ostern. Vgl. 19,4 ff.

4,30 f. *Zwilchfetzen:* Zwillich: grober Leinenstoff.

4,31 *rotbrächten Gesichter:* auffallend rotwangigen Gesichter.

5,6 *Hakenstock:* Krückstock.

5,18 *Kachel:* Schüssel, Napf.

6,5 f. *das Pulver:* Gemeint ist der gemahlene Kaffee.

6,7 *mißtreu:* mißtrauisch.

6,10 *Weinwarm:* s. 11,31–12,2.

6,12 *Gevatterleuten:* Paten.

6,15 *Kachelbank:* Geschirrgestell.
Safran: aus Blütennarben von Crocus sativus hergestelltes Gewürz.

6,23 *Wehmutter:* Hebamme.

7,2 *Buffert:* Büfett, Geschirrschrank (vgl. frz. *buffet*).

7,6 *von sinnigen Sprüchen:* Solche gereimten Tellersprüche waren in Bauernhäusern sehr verbreitet. Hier beleuchten sie die Ehrwürdigkeit auch des aufgetragenen Geschirres.

7,9 *Anken:* Butter.

7,11 *Maad:* Name eines Bauernhofes.

7,19 f. *groß wie ein Jähriges:* groß wie ein einjähriges Kind.

7,23 *Habküchlein:* in Butter gebackenes Hefegebäck.
Eierküchlein: Eierpfannkuchen.

7,24 *Nidel:* (schweiz.) Sahne, Rahm; auch: *Nidle* (s. 10,21).

7,25 *Hafen:* irdener Topf, Milch- oder Kaffeekrug.

7,30f. *Tausende von Engländern rennen durch die Schweiz:* Dieser Seitenhieb auf die seinerzeit für ihren enthusiastischen Tourismus bekannten Engländer betont den Gegensatz zum bodenständigen und seßhaften Wesen der Berner Bauern.

8,2 *steifbeinichten:* steifbeinigen.

8,10 *Wägeli:* (schweiz.) Wägelchen, kleiner Wagen.

8,14 *versäumt:* säumt, hält sich auf.

8,15 *die Göttene:* die Paten.

8,20 *der Türk:* Hundename.

8,23–25 *daß … der Herr niemanden warte:* warten als transitives Verb in der Bedeutung von ›sorgen für‹.

8,28 *Neujahrkindlein:* Wie anderenorts St. Nikolaus oder das Christkind so verteilte in Bern früher das Neujahrskindlein am 1. Januar Äpfel, Nüsse usw.

8,30 *Wartsäckleins:* Säckchen aus farbigem Stoff mit Geschenken.

8,31 *Züpfe:* als Zopf geflochtenes feines Gebäck.
   stach: veraltetes Imperfekt für: (stak) steckte.

8,32 *Kindbetterin:* Frau im Kindbett, Wöchnerin, Mutter des Täuflings.

9,5 *Drucke:* Schachtel, Kasten.

9,7 *die Gottwillchen:* schweizerische Begrüßungsformel wie *Grüß Gott* im süddeutschen Raum.

9,17 *mit handlichen Manieren:* auf kräftige, resolute Art und Weise.

9,26 *längstens:* schon längst.

10,7 *sauber:* tadellos, einwandfrei.

10,10 *Nöten:* Nötigen; Aufforderung, zuzugreifen.

10,11 *Kacheli:* irdene Tasse ohne Henkel.

10,16 *verschwören:* vermessen, einen Meineid leisten, d. h. hier womöglich sagen, das Essen sei wirklich nicht gut, um die gutmeinenden Leute endlich von dem Nöten abzubringen.

10,19f. *sie vermöchte sich dessen wahrhaftig nichts:* sie könne wirklich nichts dafür.

10,21 *Nidle:* vgl. 7,24.

10,22 *abgenommen:* abgeschöpft.

10,30 *pressiere:* dränge.

10,31 f. *rauchte wie ein Dampfkessel:* sprichwörtlich für: unter Druck sein.

10,32 f. *versorgete den heißen Kaffee:* trank den heißen Kaffee aus.

11,3 *zweg:* zuweg, bereit.

11,7 *Einbund ... Neutaler:* Patengeschenk bei der Taufe, früher meist ein Neutaler, eine Silbermünze, eingewickelt in ein kunstvoll gefaltetes, mit einem Bibelspruch oder einem Vers beschriebenes, oft auch bemaltes Blatt Papier.

11,12 *verköstigen:* in Unkosten stürzen.

11,14 *so hätte man sie gar nicht ansprechen dürfen:* so hätte man sie nicht zur Taufe bitten dürfen.

11,15 f. *verbeiständet:* beigestanden, unterstützt.

11,26 *das zweite Zeichen geläutet:* Vor dem Einläuten der Predigt werden zwei kürzere Glockenzeichen gegeben.

12,7 *Kindbettimann:* Vater des Täuflings.

12,10 *zwölfmäßigen:* zwölf Mäß haltend (altes Kornmaß: 1 Mäß = 15 Liter).

12,14 *Kindbetti:* Taufschmaus.

12,16 *Kreuzer:* Münze von geringem Wert.

12,18 *ein Mäß:* vgl. Anm. zu 12,10.

13,4 *Dachbettlein:* Federbett, Kissen, Deckbett. Dieses bis zum Tauftag unbenutzte Kissen bildete ein besonderes Stück jeder Brautausstattung. Es war eine halbe Elle länger als andere Kopfkissen und hatte gewöhnlich einen rotkarierten baumwollenen Überzug. Nach der Taufe wurde es als Wiegendecke benutzt.
Lulli: Schnuller.

13,8 *wie billig:* wie es sich gehört, wie es sich ziemt.

13,9 *wunderappetitlich:* wunderbar nett, sauber.

13,16 f. *nicht vor das Dachtraufe darf:* Dem Volksglauben nach darf die Mutter vor dem ersten Kirchgang nicht vor das Dachtraufe – den unteren Rand des Vordachs –, wenn sie nicht ihr Glück verscherzen oder bösen Einflüssen anheim fallen will.

13,24 *es gehe ... etwas Krummes:* es gehe etwas schief.

13,32 *Tauftuch:* geschmücktes Tuch, das man über das Kind legt, wenn man es zur Taufe trägt.

14,9 *schoß es ihr in die Augen:* schossen ihr Tränen in die Augen.

14,10 *Fürtuch:* Schürze.

14,16 *Maien:* Blumenstrauß.

14,19 *Blende:* Schutzwand.

15,3 *anwenden:* sich anstrengen, Sorgfalt auf etwas verwenden.

15,10f. *Starke Arme ... viel anständiger:* Starke Arme stehen einer Bauersfrau viel besser an.

15,12 *Bysluft:* kalter Nordostwind.

15,15f. *die Rute allein führen:* allein für die Kindererziehung verantwortlich sein.

15,20 *Züpfen:* Zöpfen.

16,8 *Psalmenbüchern:* Kirchengesangbüchern.

16,15 *stellte man ab:* stieg man ab, kehrte man ein.

16,16 *eine Maß:* Flüssigkeitsmaß, 1 Maß = 1,5 Liter.

16,19 *weder Dickes noch Dünnes:* weder zu essen noch zu trinken.

16,28 *Hoffmannstropfen:* nach dem Arzt Friedrich Hoffmann (1660–1742) benannt, Ätherweingeist, ein klares, farbloses Gemisch von einem Teil Äther und drei Teilen Alkohol. Wurde in flüssiger Form als belebendes, krampflösendes Mittel oder als Riechmittel bei Schwächeanfällen und Ohnmacht verabreicht.

16,31f. *Riechfläschchen:* Fläschchen mit Riechsalz, ein belebend wirkendes Gemisch aus Salmiakgeist und ätherischen Ölen.

16,32 *Nastuch:* Taschentuch.

17,12f. *hatte man ... vergessen:* Es ist Sache des Vaters, diesen Namen der Gotte mitzuteilen.

17,22 *im Verschuß:* aus Versehen.

17,22f. *Mädeli oder Bäbeli:* Magdalena oder Barbara.

17,30 *angerebelt:* angeschnauzt, angerempelt.

17,31 *Meitschi:* Mädchen.

18,5 *mörderlich:* mörderisch, im Sinne von ›stark, sehr‹.

18,32 *Emmentalerberge:* Landschaft im Nordosten des Schweizer Kantons Bern, im Flußgebiet der Großen Emme und Ilfis.

19,17 *Haberacker:* Haferacker.

Flachsplätze: Flachs: Leingewächs, aus dessen Fasern

Gewebe (Leinen) hergestellt werden; die Samen dienen als Nahrungs- und Heilmittel und zur Ölgewinnung.

19,27 f. *glühte wie einer der drei aus dem feurigen Ofen:* vgl. Dan. 3 (»Die drei Männer im Feuerofen«).

19,28 *eilf:* elf.

19,29 *Diensten:* Dienstboten.

20,7 *überem Mittag:* im Süden.

20,13 f. *wie die Knechte im Evangelium:* Anspielung auf Mt. 22,3

20,19 *fürfahren:* fortfahren, weitermachen.

20,19 f. *Rätig war man bald:* Man stimmte bald überein.

20,27 *alles wieder an die Wärme zu stellen:* auf dem Herd oder im Ofenrohr warm stellen.

21,11 f. *ließ sich an die Suppe:* begann die Suppe zu essen.

21,21 *das Rindfleisch, grünes und dürres:* frisches und geräuchertes Rindfleisch.

21,22 *dürre Bohnen:* Gemüsegericht aus getrockneten Bohnenkernen.

21,22 f. *Kannenbirenschnitze:* gedörrte Kannenbirnenviertel. Kannenbire sind Birnen von kannenähnlicher Form, gedörrt und gekocht als Beilage zu Kartoffeln und Speck.

22,8 *Bescheid tun:* sich gegenseitig zutrinken.

22,12 *Gesundheitmachen:* Zutrinken, eine Gesundheit ausbringen.

22,18 *Schlärpli:* schlappe, schwächliche Person.

22,22 *Händschli:* Handschuhe.

22,23 *Pantöffeli:* Pantoffeln.

22,27 *so sei es austubaket:* so sei nichts mehr zu machen.

22,32 f. *geringen:* gewöhnlichen, bescheidenen.

23,2 *ihm Vetter sagte:* Vetter zu ihm sagte.

23,4 *Schweizerfranken:* Schweizer Geldeinheit.
am Zins: Zinsen verdienend, auf der Bank.

23,13 *buhlte:* warb.

23,26 f. *so tue ich noch die Mutter selig durch:* so überträfe ich noch meine verstorbene Mutter.

24,1 f. *Tubaken:* Pfeife rauchen.

24,4 *Kegelten:* Kegelfesten.
Schießeten: Schützenfesten.

24,6 f. *einen Acker fahren:* einen Acker bestellen, pflügen.

24,7 f. *Werkholz:* Werkzeug mit hölzernem Stiel.

24,9 f. *mich ... verredet:* mein Ehrenwort gegeben.

24,11 f. *mit ihm fahren könne:* mit ihm auskommen könne.

24,27 *Kindbettileute:* Mutter und Vater des Täuflings.

25,2 *um so handlicher:* um so kräftiger, handfester.

25,4 *Bühne:* Heuboden über dem Stall.

26,2 *Vexier nicht:* Spaße nicht.

26,16 *Bystel:* Fensterpfosten.

26,27 *gsinnet:* überlegt.

26,31 *Ätti:* Großvater.

26,32 *mache nicht Schneckentänze:* sprichwörtl. Redensart für: mache keine Ausflüchte.

27,5 *kurze Zeit machen:* die Wartezeit verkürzen.

27,14 *böses Spiel machen:* sprichwörtl. Redensart für: Ärger bereiten.

27,26 *Sumiswald:* Städtchen im Kanton Bern, 701 m über dem Meeresspiegel im unteren Emmental. Die 1225 gestiftete Kommende (Komturei) des Teutschen Ordens (vgl. Anm. zu 28,21) war schon zu Gotthelfs Zeit eine Armenanstalt.

27,29 *mehr als sechshundert Jahre her:* das verlegt die Geschichte ins Mittelalter, etwa in das erste Viertel des 13. Jhs.

27,30 *der Spital:* Armenhaus (s. Anm. zu 27,26).

28,2 *Zehnten und Bodenzinse geben:* die wiederkehrende Abgabe eines Teils, meist des zehnten Teils, aller oder bestimmter Erträge eines Grundstücks an den Grundherrn. Der Feldzehnt (Fruchtzehnt) war z. B. eine Abgabe von Getreide, Wein, Garten- und Baumfrüchten, der Blutzehnt (Fleisch-, Viehzehnt) bestand in Tieren und Tiererzeugnissen wie Eiern, Milch, Butter, Honig. Die Zehnten bestanden seit dem frühen Mittelalter bis ins 19. Jh.
Frondienste leisten: im Mittelalter meist unentgeltliche, zwangsweise Dienstleistung des Bauern für den Grundherrn.

28,21 f. *Rittern, die man die Teutschen nannte:* Der Teutsche Orden (Teutsche Ritter, Teutsche Herren) verdankt seine Entstehung den Kreuzzügen. Er wurde von

Herzog Friedrich von Schwaben (1168–91), dem zweiten Sohn des Kaisers Friedrich I. Barbarossa (um 1123 bis 1190), im Jahre 1190 gestiftet. Er sollte, wie die anderen Orden, die christliche Religion gegen die Ungläubigen schützen und Pilger im heiligen Land pflegen. Die Organisation des Ordens gliederte sich in elf Provinzen oder Balleien, und zu der ersten Ballei, genannt Elsaß und Burgund, gehörten sämtliche Ordenshäuser in der Schweiz. Das Ordenshaus Sumiswald wurde 1225 gestiftet und bestand bis 1698, als es an die Stadt Bern verkauft wurde.

28,23 *Komtur:* Rang innerhalb der Ritterorden, Vorsteher eines Bezirkes.

28,28 f. *in Polen und im Preußenlande mit den Heiden streiten:* Im Jahre 1226 zogen Ordensritter zur Bekämpfung der heidnischen Preußen nach Norden.

29,11 *Hans von Stoffeln:* Der Deutschordensritter Hans von Stoffeln war 1512–1527 letzter Komtur in Sumiswald. Der Orden hatte Sumiswald von 1225 bis 1698 unter seiner Kontrolle. Außer Hans von Stoffeln wird 1338 auch ein Peter von Stoffeln als Komtur in der Geschichtsforschung erwähnt. Jedoch scheint sich kein Vertreter dieses Geschlechts je tyrannischer Übergriffe schuldig gemacht zu haben.

29,16 *Bärhegenhubel:* Bergrücken über dem Dorfe Wasen, etwa anderthalb Stunden von Sumiswald. Auf dem Gipfel des Berges fand man Altertümer aus der keltischen und römisch-gallischen Zeit. Ein Halbkreiswall läßt auf eine frühe Opferstätte schließen, was schließlich zu der Sage von einer Burg geführt haben mag.

29,24 *Hubel:* Hügel.

29,28 *Heuet:* Heuernte.

29,29 *Säet:* Aussaat.

29,30 *Züge:* Gespanne, zusammengespannte Zugtiere.

30,1 *Zehntgarbe:* vgl. Anm. zu 28,2.

Mäß: vgl. Anm. zu 12,10.

30,2 *Fasnachthuhn:* Fastnacht im engeren Sinn ist der Abend und die Nacht vor Aschermittwoch, dem Beginn der Fastenzeit; mit vielen Bräuchen (z. B. auch große Essen) verbunden.

30,7 *Vogt:* Verwaltungsbeamter, Burg-, Schloßverwalter.

30,16 *Ellen:* altes Längenmaß (60–80 cm).

31,8 *Nachlaß verkünden:* Ermäßigung; Verzicht auf einen Teil einer Schuld erklären.

31,14 *halbbatzige:* minderwertige, nur einen halben Batzen wert (1 Batzen = 4 Kreuzer).

31,22f. *Bernmäß:* vgl. Anm. zu 12,10.

32,7 *Münneberg:* Talriegel, der sich von Brandishub bis Sumiswald hinzieht und durch viele Gräben und Wälle gekennzeichnet ist.

32,20 *Fluh:* Felswand.

32,23 *Dach und Fach:* Anspielung auf die sprichwörtl. Redensart »etwas unter Dach und Fach bringen«, d. h. es in Sicherheit bringen, wobei ursprünglich an die Erntebergung gedacht ist. Im Bauernhaus wird der Zwischenraum zwischen zwei Ständerpaaren der Hauskonstruktion als »Fach« bezeichnet.

33,5 *Als der Weg sich beugte:* eine Biegung machte.

33,20 *Maimond:* Maimonat.

33,30 *ein grüner Jägersmann:* In vielen Sagen erscheint der Teufel als grüner Jäger mit rotem, spitzem Bart und roter Feder.

33,31 *Barett:* schirmlose, flache Kopfbedeckung.

34,10 *spretzeln:* prasseln, sprühen.

35,15 *Sündflut:* volksetymologische Umdeutung von Sintflut, nach der Bibelüberlieferung von Gott herbeigeführte Überschwemmung der Erde infolge 40 Tage anhaltenden Regens als Strafe für die Menschheit, der nur Noah und seine Familie entgingen.

35,23 *abgekarrten Vieh:* heruntergekommenen Vieh.

36,3 *Kilchstalden:* Kirchweg. *Kilche* ist die alem. Form von *Kirche.* Stalden: steile Straße, Abhang.

36,19f. *ein ungetauftes Kind:* Der Teufel nimmt mit Vorliebe ungetaufte Kinder in Empfang, da es diesen an der schützenden Macht der Taufe fehlt. Ein ungetauftes Kind dem Teufel ausliefern heißt nach dem Volksglauben, aus ihm einen furchtbaren Dämon schaffen, denn der Teufel gewinnt absolute Gewalt über ein solches Wesen.

37,2 *stäubten:* stäuben: verwandt mit *stieben* ›in kleinste

Teilchen zerstieben, Staub erzeugen‹. Hier ist eine schnelle, Staub erzeugende Bewegung gemeint.

37,21 *handlich:* ungebärdig.

Lindauerin: Hier wird nicht nur deutlich gemacht, daß Christine von Lindau am Bodensee ist (vgl. auch 42,3 und 49,13 f.), sondern vor allem, daß sie eine Fremde ist. Auch die Ritter kommen aus der Fremde. Zur Identifizierung des Fremden mit dem Bösen s. 99,30 f., 100,32 und 105,16.

38,15 *feil:* verkäuflich.

38,26 *Haber:* Hafer.

39,27 *stättiger:* störrischer, bockiger.

42,4 f. *wie man den Teufel leibhaftig kriegt, wenn man ihn an die Wand male:* Nach dem Volksglauben kann man den Teufel als Superlativ alles Bösen durch bloßes Nennen seines Namens herbeizitieren und auch durch Malen seines Bildes herbeiholen, denn das Bild stellt nicht nur den Teufel dar, sondern ist er selber.

42,15 *zwitzerte:* glitzerte, schimmerte.

42,19 *dürften:* könnten.

42,28 *übertölpeln:* betrügen, plump überlisten. Die Idee, den Teufel zu überlisten, ist in zahlreichen Sagen überliefert. Es handelt sich bei diesem Sagentypus um die Hilfe des Teufels bei irgendeiner schwierigen Arbeit, wobei Teufel und Mensch einen förmlichen Pakt eingehen. Sobald der Teufel sein Versprechen eingelöst hat, entzieht sich der Mensch seinen Verpflichtungen und bringt den Teufel durch eine List um seinen Lohn, der gewöhnlich aus einer Menschenseele besteht. Im Unterschied zu Gotthelfs Erzählung haben die Sagen einen schwankhaften Schluß, d. h., der Teufel wird tatsächlich übertrumpft.

43,27 *schwänzelte:* schmeichelte, liebedienerte.

44,18 *Sündigung:* Stundung, Aufschub.

44,24 *Kirchstalden:* vgl. Anm. zu 36,3.

44,29 *sie schuld geben zu können:* ihnen (den Männern) schuld geben zu können.

44,32 f. *ihn mit langer Nase abzuspeisen:* ihn (den Teufel) zu überlisten und dann zu verspotten (vgl. Anm. zu 42,28). Die Redensart »einem eine lange Nase machen«

läßt sich dadurch erklären, daß dem, der einen Verweis bekam, ehemals eine Nase aus bunter Pappe aufgesetzt wurde.

45,3 f. *so vermöchte sie sich dessen nicht:* so könne sie nichts dafür, sei sie nicht schuld daran.

45,5–22 *Mit dem Versprechen ... zersprungen wäre:* Der hier angedeutete Teufelspakt und der Teufelskuß beruhen auf volkstümlichen Überlieferungen. Neben zahlreichen Sagen mit diesem Motiv findet sich der Teufelspakt vor allem in der »Faust«-Literatur. Im Volk war der Glauben verbreitet, daß der Teufel seinen Anhängern ein unzerstörbares Mal, das sogenannte »signum pacti«, aufdrücke.

45,10 *Akkord:* nach frz. *accord* ›Übereinkunft, Vertrag‹.

45,11 *leichtlicher:* leichter.

46,16 *eigenen Herd:* Sinnbild für Heim, Haus, Hof.

46,24 *ob:* über.

46,32 *einzog:* einrenkte.

47,7 *Sparren:* schräger Balken des Daches (Dachsparren).

47,27 f. *das Herz am rechten Orte:* in Anlehnung an die Redensart »das Herz auf dem rechten Fleck haben«, d. h. rechtschaffen, hilfsbereit sein.

47,29–32 *daß es sich mit dem Teufel ... geben müsse:* erneute Anspielung auf zwei Teufelssprichwörter, nämlich »Mit dem Teufel ist nicht gut scherzen (spaßen)« und »Wer dem Teufel einen Finger reicht, der gibt ihm die ganze Hand« (vgl. auch 42,4 f.).

48,9 *kuraschiertes:* mutiges (von frz. *courage* ›Mut‹).

49,14 f. *je mehr man ihr anhielt:* je mehr man sie anhielt, d. h. aufforderte, ermahnte.

49,26 *Abrede:* Abkommen, Übereinkunft, Verabredung.

50,31 *Umtriebe:* Zeit oder Geld verschlingende lästige Nebenarbeiten, Mühen.

51,3 *die Heere der wilden Jäger:* Die Wilde Jagd oder das Wilde Heer ist im deutschen Volksglauben ein Geisterheer, das nachts durch die Lüfte braust, geführt vom Wilden Jäger, der, landschaftlich verschieden, teils mythische (z. B. Wode, Helljäger), teils historisch bezeugte Namen (z. B. Dietrich von Bern) führt.

51,4 *Posten:* Pfosten, Eckpfeiler.

51,19 *Grüne:* Name eines kleinen Gebirgsflusses.

52,16 *Spule:* Nabe, Mittelteil des Rades, durch den die Achse führt.

52,23 *bei männiglich:* bei jedem.

52,24 *Pacht:* Vertrag.

54,14 *Egg:* langgezogener Höhenrücken.

54,26 *wohlete es:* wurde es wohler, ging es besser.

55,1f. *Urbanustage:* 25. Mai. Der hl. Urban ist der Patron der Weinbauern.

55,11 *Beize:* Falle.

55,13 *Küherbub:* junger Kuhhirte.
Zieger: Quark, Weißkäse.

55,20 *lief das Gesicht auf:* schwoll das Gesicht an.

55,27 *ward es graulicht:* ward es unheimlich, graute sich.

56,15 *im Rauche:* im Rauchfang, also dem trichterförmigen Zwischenstück zwischen dem offenen Herd und dem Schornstein, in dem Fleisch geräuchert wurde.

56,17 *Hafen:* irdener Topf.
geküchelt: Kuchen gebacken.

56,18 *Küchli:* in Butter gebackene Kuchen.

56,23 *sich . . . künden:* sich bemerkbar machen, sich melden.

57,3 *gebenedeiten:* gesegneten (von lat. *bene dicere* ›Gutes wünschen‹).

57,25 *Kurzweil:* Zeitvertreib, Unterhaltung, Amusement.

58,7f. *es werde keiner gekrönet, er kämpfe dann recht:* vgl. 2. Tim. 5,6.

58,24f. *wurden die Gäste entboten:* wurden die Gäste zu kommen aufgefordert.

59,9f. *war . . . zu Gevatter gestanden:* hatte die Patenschaft übernommen.

59,12f. *in den drei höchsten Namen:* Gott Vater, Sohn und Heiliger Geist (vgl. 79,30f. und 97,27f.).

60,15 *Gebein:* Knochen, sämtliche Glieder.

60,22 *Höcker:* Auswuchs, Buckel.

60,31 *erwildet:* wild geworden.

61,14 *Kreuzspinne:* große Radnetzspinne mit einer weißen Kreuzzeichnung auf dem Hinterleibsrücken. – Die Beziehung zwischen Teufel und Spinne ist in Sagen mehrfach belegt, die Spinne gilt sogar als des Teufels Gerichtsbote.

62,4 *Malzeichen:* Fleck (ähnlich einem Muttermal).

62,16 *die Kreißende:* die in Geburtswehen Liegende.

62,17 *Wirbelsinnigen:* Wahnsinnigen, Sinnverwirrten.

62,21 *Sigrist:* Küster, Sakristan.

62,27 f. *Lösung:* Erlösung.

63,27 *Wöchnerin:* Frau während der Zeit nach der Entbindung, solange sie das sog. Wochenbett hütet.

63,32 *gramselten:* krabbelten, wimmelten.

65,4 *wehlich:* schmerzlich, wehklagend.

65,22 *Diele:* hier: Zimmerdecke.

68,32 *ihns:* es.

70,6 *Abrede:* vgl. Anm. zu 49,26.

70,7 *sonder Fehl:* ohne das Beabsichtigte zu verfehlen.

71,9 *zweischneidend: zwei-* im Sinne von ›doppelt‹, also verstärkend; auch die Vorstellung eines zweischneidenden, beidseitig geschliffenen Schwertes ist zu assoziieren.

71,30 *Fuder:* altes Hohlmaß; eigtl. ›Wagenladung‹. *ausladen:* fertig aufladen.

73,10 *Wöcherin:* Wöchnerin (vgl. Anm. zu 63,27).

74,3 f. *juckte:* sprang, lief.

75,27 *Posten:* s. Anm. zu 51,4.

77,27 *das Heiligste:* die geweihte Hostie (Sanctissimum).

78,3 *Hage:* Hecke, Gebüsch.

78,30 *Kalch:* Kalk.

79,13 *sonder Weile:* ohne zu verweilen, ohne Verzögerung.

81,5 f. *das Allerheiligste:* vgl. Anm. zu 77,27.

83,9 f. *wie das gespenstige Wild vor der wilden Jagd:* vgl. Anm. zu 51,3.

84,2 *gesprengt:* überwunden.

84,16 *Sterbet:* Epidemie mit zahlreichen Todesfällen. Schon auf S. 69,26 spricht Gotthelf von einer »Krankheit«, und was allein auf den Seiten 82 ff. als das große »Sterbet« geschildert wird, erinnert ungemein an die Pest.

86,15 f. *sie stunden ihm:* sie blieben stehen, warteten auf ihn.

86,24 *Fluh:* Felswand.

87,14 *stier:* starr, unbeweglich.

88,26 *zentnerige:* zentnerschwere.

90,15–19f. *sie hatte schon oft gehört ... im Loche sein:* Das Verpflöcken der Spinne beruht auf verbreiteten volkstümlichen Vorstellungen und ist in vielen Sagen überliefert. So werden Tiere, Geister oder die Pest in einem Loch eingesperrt, das durch einen Pflock verschlossen wird. Zieht man diesen Pflock heraus, so bricht die Gefahr erneut aus.

90,22 *Bystal:* Fensterpfosten (vgl. 26,16 *Bystel*).

90,28 *das Fleisch stärker als der Geist:* vgl. Mt. 26,41.

91,28 *Grundfesten:* Grundmauern, Fundament.

92,5 *der schwarze Tod:* direkte Anspielung auf die Pest.

92,10 *eines Satzes:* mit einem Satz.

92,27 *schmälen:* schmähen, schelten.

93,16 *Küchlene:* in Butter gebackene Kuchen.

93,32f. *Gesundheit machen:* vgl. Anm. zu 22,12.

94,2f. *das Witzigeste:* die Verständigste, die Klügste.

94,9 *sonder:* ohne.

94,11f. *aufs Tapet:* etwas aufs Tapet bringen: etwas zur Sprache bringen. *Tapet* bezeichnete früher den meist grünen Bezug der Tische in Sitzungszimmern.

94,12 *trägt ... nichts mehr ab:* nützt nichts mehr, bringt nichts mehr ein.

94,27f. *Gefährde:* Gefährdung, Gefahr.

94,31 *anläßt:* einläßt.

95,16 *strengen:* schweren, anstrengenden.

95,24f. *wenn man hinter neue Gerichte geht:* wenn man sich an neue Speisen macht.

96,15 *kurze Zeit gemacht:* die Zeit vertrieben.

96,23 *gescheuter:* gescheiter, klüger.

97,17f. *bauten ... den Hof:* bebauten und bearbeiteten das zum Hof gehörende Land.

97,18 *arbeiten:* bearbeiten.

98,15 *darob:* darüber.

99,2 *nöter:* nötiger.

99,14f. *welkte nicht ... wie dem Jonas seine Schattenstaude:* vgl. Jon. 4,6f.: »Und Gott der Herr entbot einen Rizinus, der wuchs über Jona empor, um seinem Haupte Schatten zu geben [...]. Als aber am folgenden Tage die Morgenröte aufstieg, entbot Gott einen Wurm; der stach den Rizinus, so daß er verdorrte.«

99,24 *bläht:* überheblich macht.

99,27f. *die Israeliten ... ob goldenen Kühen ihn vergaßen:* vgl. 2. Mos. 32.

100,28 *Fast zweihundert Jahre:* In der Tat berichten Über-
lieferung und eine Sumiswalder Chronik über einen
großen Sterbet (Epidemie mit vielen Todesfällen), der in
diesem Gebiet im Jahre 1434 stattgefunden hat. Hierauf
könnte sich der von Gotthelf geschilderte zweite Aus-
bruch der Spinne beziehen.

101,9 *Kilbi:* Kirchweih, Jahresfeier der Kircheinweihung
mit Jahrmarkt und Lustbarkeiten, Kirmes.

101,27 *unheimeliger:* unheimlicher.

101,32 *vermachte:* verschloß, zumachte.

102,30 *aufrichtete:* das Gerüst des Hauses aufstellte.

102,30 *Zapfen:* meist rechteckiger Holzpflock, der im Gegensatz zum Dübel mit einem der zu verbindenden
Holzstücke verwachsen ist. Der Zapfen paßt in das
Zapfenloch oder in den seitlich offenen Schlitz des anderen Stückes.

102,31 *Schwelle:* waagerechter Balken, Grundbalken, auf
dem etwas aufgebaut wird; Türschwelle.

103,7 *Hausräuki:* Festessen beim Einzug in ein neues
Haus.

103,24 *Putzen:* Herausputzen, Schmücken.

103,25 *treffen:* recht machen.

104,15 *trieb:* warf.

105,21 *auswolle:* hinauswolle.

105,29 *Augenhaar:* Augenbrauen.

106,5 *wies er die andern auf:* wiegelte er die andern auf.

106,10 *zum Kreuze krochen:* nachgaben, sich demütigten.
Die Redensart »zu Kreuze kriechen« geht auf einen mit-
telalterlichen Brauch zurück, als die Kirche es als eine
Form strenger Buße einrichtete, am Gründonnerstag
oder Karfreitag kniend an das Kruzifix hinzukriechen.

110,6 *tat ... ab:* erledigte, tötete.

114,15 *Kilchstalden:* vgl. Anm. zu 36,3.

116,18 *Kilchgang:* vgl. Anm. zu 36,3.

117,4f. *berühmten Scheibentische ... zu sehen ist:* Dieser
runde Tisch steht auch heute noch im Gasthof »Bären«
in Sumiswald. Es handelt sich allerdings nicht mehr um

dieselbe Tischplatte, doch wird die neue Holzplatte mit dem alten Eisenreif zusammengehalten.

117,11 *Gräbt:* Leichenmahl, Essen nach dem Begräbnis.

118,12 *stürmten:* behaupteten laut und heftig.

119,10 *Matten:* Wiesen.

119,15 *Haslebach:* Ort in der Nähe von Lützelflüh, wo Gotthelf von 1831 bis 1854 als Pfarrer tätig war.

120,28f. *angewendet:* sich angestrengt.

121,5 *heimelig:* behaglich, gemütlich.

121,6 *Brusttuch:* ein meist viereckiges Tuch, das, in der Diagonale gefaltet, den Miederausschnitt der Volkstrachten ausfüllt.